働き方改革・経費削減しつつ、
会社を「儲かり体質」に変える秘策とは！？

展示会のプロが発見！

儲かっている会社は1年に「1回」しか営業しない！

株式会社展示会営業マーケティング
代表取締役
清永健一

はじめに

なぜ私が展示会営業®術をすすめるのか？　～儲かり体質の会社にしたい

こんにちは！　本書の著者、清永健一と申します。

わたしは、北は北海道から南は沖縄まで全国津々浦々の中小企業さんの営業現場に入り込んで、**会社を儲かり体質にするコンサルティング**を行っています。

さて、この本を手に取ったということは、あなたには何らかの問題意識があるのではないでしょうか？

その問題意識の範囲は、

・年々、売上が下がっている
・だんだん顧客数が減ってきた
・顧客からの値下げ要求が厳しい

などの顧客に関わるものから、

・人を採用できないし、せっかく採用できてもすぐ辞めてしまう
・時代が変わって、どのように若手を教育したらよいかわからない

- **働き方改革と言われてもどうしたらよいかわからない**

といった社内に関するものまで、さまざまだと思います。

そんなあなたに、まずお伝えしたいことがあります。それは、**「営業は1年に1回以上しないでください」ということです。**

「えっ！　何言ってるの？」

「苦しい中でも、営業活動をがんばることで、なんとか業績を保っているのに、そんなことできるわけないじゃないか！」

そう思うあなたのお気持ちもよくわかります。もしかすると、あなたは憤って、もうこの本を閉じようとしているかもしれません。

ただ、ちょっと待ってください！　**私も以前は通信事業会社の営業マンでした。**通信事業の営業はいわゆるド営業です。**ドブ板営業やローラー作戦を言い渡され、地方の一般家庭に飛び込み、犬に吠えられる日々**を3年間毎日続けていました・・・。この方法を開発するまでは・・・。

そんな経験からの提言です。

ドブ板営業マンから展示会営業®術を開発するに至った経緯を動画にまとめています。
ご興味ある方は、こちらからご覧ください。
URL：https://tenjikaieigyo.com/hiwahistory

「なぜ年1回以上営業しない方がよいのか？」ということをきちんとお伝えしますので、もう少しだけ読み進めてほしいのです。

本作で6作目の著書となりますが、わたしの提言は一貫してこうです。

「営業は年1回の展示会出展しかしないでください。」

こう言うと、あなたはこのように疑問を抱くかもしれません。

「ん？ 今さら展示会？ このWEB全盛の時代に展示会なんて意味あるのか？」

でも、少し考えてみてください。

「あなたの会社は、WEBで数多くの見込み客との接点をつくることができますか？」

知名度があり、企業名や製品名で検索してくれる大企業ならともかく、中小企業の場合、それはむずかしいと言わざるを得ないのではないでしょうか？

それに、知名度の問題以外にも、WEBでの営業やマーケティングにはそれなりの知識や人材も必要になります。

「自社からの接点づくりがムリなら、どこかに頼んで広告を出せばいいじゃないか！」

おっしゃる通りです。でも、ＷＥＢ広告をして見込み客との接点を増やす場合、広告費用がどれくらいかかるのか、ご存知でしょうか？

業種や検索ワードにもよりますが、**ＷＥＢ広告の利用者が増えた現在では「１社の見込み客との接点を得るために２万円以上」のコストがかかるケースもザラにあります。**

ということは、目標の接点数を獲得するためにいったいいくらかかるでしょうか？

このことを考えていただくとＷＥＢ広告のむづかしさにお気づきになると思います。

つまり、知名度、知識、人手や資金力に乏しい中小企業が、ＷＥＢで見込み客との接点をつくる方針は、泥沼に足を突っ込みかねないということなのです。

しかし、年１回展示会に出展し、本書でご紹介している**展示会営業®術を活用しさえすれば、年間でわずか１回の労力（出展は１回ですが多くの場合、展示会の会期は３日です）と、１回分の展示会出展コストだけで、向こう１年分の優良な見込み客と接点を持ち、ＷＥＢの何倍も売上を増加させることができる**と私は断言します！

そもそも、**展示会では、見込み客とリアルに面談し対話することができます。**

対話の中で見込み客に質問を促したり、見込み客の関心に応じて訴求ポイントを変えたりすることによって、興味喚起をすることができるのです。

もちろん、展示会で成果を出すためには、リアルな営業活動だけでなくＷＥＢを併用することも重要です。たとえば、ブースで名刺交換した見込み客を、自社のＷＥＢサイト上の申し込みサイトに誘導したり、見込み客に対して展示会後、定期的にフォローメール（メールマガジン）を送ったりすることがそれに当たります。

しかし、これらは、**すべて、見込み客と接点を持った後のアクションです。すべての起点である「見込み客と接点を持つ」というポイントについては、少なくとも中小企業においては、ＷＥＢよりも展示会の方が圧倒的に有効**なのは、疑いようがないでしょう。

そして、年１回の展示会出展をおこなえば、**おおげさでなく１年間は展示会で接点を持った見込み客のフォローをするだけ。**

つまり、経費や営業マンの心労を伴う新規顧客獲得＝営業活動は不要になります！

・営業は1年に1回だけ！　＝展示会に出展する
・顧客が自らやってくる！　＝新規顧客開拓不要
・経費削減　＝営業・広告費用は展示会出展時のみ
・見込み客と直接面と向かって対話できる　＝成約率が高い！
・「儲かり体質の会社」になっていく　＝会社や社員のレベルアップ

これだけわかりやすいメリットがある営業手法だからこそ、この展示会営業®術を、わたしは生涯をかけて全身全霊で伝えていきたいと思っているのです！

これからその方法を体系的に、そして実体験に基づきご説明していきます。

ぜひ、本書を読み進め、あなたの会社も「儲かり体質」の会社に生まれ変わっていただくことを願っています。

清永　健一

● 目次 ●

2章 金もコネも不要！ 展示会出展が小さな会社を救う

4章 成果に直結！ 目からウロコの展示会フォロー術

5章 儲かり体質に変える数値目標のつくり方！

6章 展示会営業®術が会社を強くする! 株式会社名《な》井《い》内《ない》の復活劇!

序章

働き方改革！
営業活動を減らすことで
売上が上がった企業の
カラクリに迫る！

わたしが、「営業を1年に一回しかしないでほしい」と言っているのには、根拠があります。

わたしは、これまで1195社以上の企業に向けて営業コンサルティングを行ってきました。それらの会社の多くは中小企業です。

これらの中小企業さんは、資金力や人数では大企業に劣るものの、会社を率いる社長さんをはじめ、社員の方は皆さん純粋で、高い意欲や情熱を持っておられるケースが多かったのです。

ですから、どの会社も、営業担当の方が朝から晩までがんばっていますし、営業部長は、必死に売上増加策を練っています。そして社長さんは会社の将来を真剣に考えておられます。

ただ、意欲とは裏腹に、残念ながら売上は伸びず、逆に年々減少しているケースが多いのです。得意先顧客も徐々に減ってきていて、おまけに商品単価が下がって利幅が小さくなっています。

新商品を考えようとするのですが、そう簡単に売れそうなものは思いつきません。

他社がやっていることの後追いや二番煎じでは、残念ながら、大した改善効果はありません。

いいアイディアがなければ、行動量を増やすしかありません。必然的にもっと頻繁に顧客訪問をしようということになります。既存顧客客のフォロー訪問と新規の顧客開拓訪問です。営業部長は、とにかく訪問件数を要求するようになって、営業担当は必死に件数をこなしていきます。

訪問件数を増やすと必然的に残業時間が増えていきます。そうすると、今度は、**働き方改革との狭間で苦しむ**ことになるのです。

2019年4月から施行された働き方改革関連法案の中で、時間外労働の上限は、原則として月45時間・年360時間と定められました。月45時間ということは、一日に2時間程度です。

この上限を守らなかった企業は、**罰則として「6カ月以下の懲役」または「30万円以下の罰金」が科される恐れ**があります。さらに、懲役や罰金だけでなく、違反の程度によっては、企業名が公表されることがあります。そうなってしまうと、取引などにも影響しかねません。
そして、この働き方改革関連法案の中小企業への適用が、いよいよ２０２０年４月に迫ってきているのです。

このようなお上からのお達しにより、中小企業の経営者の皆さまはさらに大変なことになっていることとお察しします。かくいうわたしも**若輩ながら一経営者として、新聞を読みながら「いや、ムリをおっしゃいますねぇ！」と思わず机を叩いてしまいました・・・。**

「訪問件数を増やせ！」
「でも残業はするな！」
相反する二つの指示に、営業担当者も右往左往してしまいます。

それでも、背に腹は代えられません。多くの中小企業では、「働き方改革も大事だけれど、売上・利益はもっと大事だ！　そのためにも、訪問件数を増やそう！」という号令がかかることになります。

程度の差はありますが、まじめで意欲の高い会社ほど、この傾向が強くなります。

でも、冷静になって考えてみてください。今は、訪問すれば売れる時代ではないのです。**特に提案もなく、目新しい取り組みもないのに、ただ客先に顔を出すだけで売れるほど甘くはありません。**

それでも無理に訪問すると、既存客から無理難題を持ちかけられたり、新規客になんとか食い込もうと金額をがんばりすぎてとんでもない赤字受注をしてしまった、などということになりかねません。

もちろん訪問しないよりはした方がよい面もあるでしょう。でも、顧客先に行くのもタダではありません。交通費やガソリン代も使いますし、時間コストも無視できません。

一方で、実際に労働時間を短縮したり、経費を削減して利益をあげている企業もあります。

いずれも、ＮＨＫクローズアップ現代で特集されていた内容です。

ひとつ目は、皆さんご存知の大手ファミリーレストラン「ロイヤルホスト」の例です。ロイヤルホストは、２０１７年に、同業他社に先駆けて全店舗で24時間営業を廃止しています。そのうちのひとつである東京都世田谷区のお店では、平日の営業時間を朝９時から夜12時までに変更し、９時間短縮しました。深夜と早朝の営業をやめ、昼と夜の時間にパワーをシフトしたのです。来店客が多く、最も利益が見込める時間帯に店長などの主力人員を配置し、サービスを手厚くするようにしました。

その結果、世田谷区の店舗では、混雑時でもお客を待たせることが少なくなったといいます。

あわせて、メニューも一新。食材にこだわり、付加価値の高い商品を用意しました。すると丁寧な接客も功を奏し、客単価が上がったのです。

世田谷区の店舗以外にも、ロイヤルホストでは、全店舗平均で営業時間が３時間短縮した一方で、逆に売り上げは７％アップしたといいます。

ふたつ目の企業は、ＷｉＦｉサービスの老舗、ＵＱ ＷｉＭＡＸなどでおなじみの「ＵＱコミュニケーションズ」のケースです。

ＵＱコミュニケーションズの格安スマホの営業部隊では、残業時間を短縮するために業務の再構築を行いました。具体的には、顧客獲得の効果が少ない事業を洗い出してスクラップ対象にしたのです。

現場から意見を募り、例えば、「キャンペーン特典の郵送を廃止しメールだけにする」など細かい見直しを行うとともに、テレビショッピングでのセット販売や通販サイトでの販売など手間がかかるわりに効果が薄い事業を廃止しました。

その結果、一人当たり月10時間の業務をスクラップすることに成功し、新たに生まれたその時間で、攻めの仕事にも取り組めるようになったのです。

残業時間は改革前のおよそ半分になる一方、顧客獲得件数は１・５倍になったといいます。

「ロイヤルホストとかＵＱコミュニケーションズは、誰でも知っている大手企業じゃないか！　うちみたいな中小企業には参考にならないよ！」

あなたはそう思ったかもしれません。でも安心してください。これから、中小企業でも確実に実践できる方法についてお伝えしていきます。

あなたは生産性の計算式をご存知でしょうか？　生産性とは、アウトプット÷インプットのことです。

実は、**「儲かり体質」とは、この生産性が高いことなのです。**

事例に挙げた2社も、この生産性の計算式をうまく使って業績を上げています。

では、営業における生産性とは、どのように計算できるでしょうか？

営業活動におけるアウトプットは、単純に売上・利益です。そして、主なインプットは、顧客訪問です。

ということは、営業生産性とは、売上・利益÷顧客訪問で算出できるのです。

つまり、顧客訪問というインプットばかり増やして、売上や利益というアウトプットが増えなければ、営業生産性はどんどん落ちていきます。こんなことをしていては、がんばればがんばるほど、悪循環に陥ってしまいます。

よかれと思って営業を一生懸命がんばればがんばるほど、営業生産性が下がり、儲かり体質とは程遠くなってしまうのです。

営業生産性とは？

$$\text{生産性} = \frac{\text{OUTPUT}}{\text{INPUT}}$$

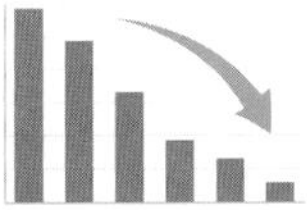

$$\text{営業生産性} = \frac{\text{売上・利益}}{\text{顧客訪問}}$$

**顧客訪問を増やすだけでは、営業生産性が下がり、
儲かり体質からかけ離れてしまう。**

「そんなこと言ったって、顧客訪問を減らしたら、今の売上・利益すら確保できなくなってしまうんだ。だから仕方ないんだ！」

あなたは、心の中でそう叫んだかもしれません。わたしは、そんなあなたにお聞きしたいのです。

もしも、一年にたった1回だけ営業活動をするだけで、今以上の売上・利益を上げることができる方法があるとしたらいかがでしょうか？

しかも、**その方法を使えば、売上・利益を増加させられるだけでなく、社員さんがイキイキと目を輝かせながら働き、社内の一体感が高まり、人材採用にも苦労しなくなる**としたらどうでしょうか？

この方法を使えば、次の第1章に登場する資金力もコネもない、しかも社員のやる気もない架空の会社、株式会社名《な》井《い》内《ない》のような企業でも、ジリ貧・ドン底の状況から復活し、儲かり体質に変わることができるのです。

そんな夢のような方法が確かにあります。本書ではその方法をわかりやすく解き明かしていきます。

準備はいいでしょうか?

それでは、**「1年に一回営業するだけで儲かり体質に変える、夢のような営業手法をあなたの会社に取り入れる」あなただけへの個人勉強会**を開催していきます!!

1章

金なし、コネなし！
株式会社名《な》井《い》内《ない》の場合

1 怒れる名井社長！（心の中では焦ってます）

株式会社名《な》井《い》内《ない》は、千葉県にある電子部品製造業です。

１９７４年の創業以来、大手メーカーZ社を主要顧客として順調に業容を拡大してきました。主要顧客であるZ社の成長に合わせて売上を伸ばし、ピーク時には年商20億円に達します。

しかし、近年の業績は低迷しています。

「新規開拓が全然進んでいないじゃないか！　いったい、営業部は一か月間、何をやっていたんだ！」

各部門の部長たちが集まる毎月一度の幹部会議での一コマです。

名井社長の怒号が響いた後、会議室は沈黙に包まれます。営業部長も開発製造部長も経理部長も空を見つめ微動だにしません。

名井社長はなぜ怒っているのでしょうか？

株式会社名井内の幹部会議

部長たちは何を思っているのでしょうか？

彼らの心の中に分け入ってみましょう。

《名井社長の心の声》

まったく、うちの社員には危機感というものがなくて困る。**Z社の仕事だけをやっていればいい時代はもうとっくに終わったんだ。**

Z社は、毎年厳しい値下げ要請をしてくる。このままではそのうち利益が全く出なくなる。それに、そもそも、**Z社には生産拠点を海外に集約しようという動きがある。**

いつまでもZ社に依存していたら、会社が立ちいかなくなってしまうんだ。だから、3年も前から、新規開拓を年度方針に掲げて、発破をかけているんだ。

それなのに、一向に取引先は増えない。うちの社員には本当に真剣に仕事に取り組んでいるのだろうか？

親父が社長のころはよかったよなぁ。Z社についていきさえすれば、売上が上がったんだから。

おっと、昔を懐かしがってても状況は改善しないぞ。なんとかしなくては。

でもいったいどうすれば、うちの社員は新規開拓の動きを加速させてくれるのだろう？

2 鈴木営業部長は戸惑う。中間管理職の悲哀

《鈴木営業部長の心境》

あ〜あ。また、社長が「新規開拓が・・・」って言いだしたよ。

いつものお決まりのパターンだ。もういい加減にしてほしいよ。

そんなに新規開拓を進めたいなら、少しくらい予算を取ってくれてもいいじゃないか。この前だって、新規開拓のためのチラシ作成の稟議を上げたら、社長、却下したじゃないか。うちにはそんなにお金がないって言うのかよ！

こっちは、Ｚ社にいつも呼び出されて忙しいんだ。新規開拓なんかに注力したらいったいだれが、Ｚ社のおもりをするんだ。

営業部のメンバーはみんながんばってＺ社のわがままな要求に応えてくれている。だから、Ｚ社はずっと取引を継続してくれているんだ。

もし、これが、並みの営業部ならもうとっくにＺ社との取引なんてなくなっちゃってるよ。そんなにがんばってくれているメンバーに、「新規開拓も、もっとがんばれ！」なんて到底言えないよ。

実際、現実問題として、今、うちの会社の売上のほとんどはＺ社からの受注なんだぞ。そのＺ社をないがしろにして、新規開拓なんてできるわけないじゃないか。

でも、面と向かって社長にそんなこと言えないしなぁ・・・とりあえずここは黙っておこう。

3 営業担当の田中君は思考停止。実は転職活動中です

《営業担当の田中君の話》

うわ～。社長、めちゃくちゃ怒ってるなぁ。

社長のこの怒り方ってこの働き方改革の時代にアリなのかなぁ・・・完全にパワハラだよなぁ・・・。

大体なんで、おれが幹部会議に出ないといけないんだろう？　おれなんて役職のないただの担当者なのに・・・。

こんな意味のない会議をやるくらいなら、Z社に御用聞きに行った方がまだいいよ。

社長が、新規開拓、新規開拓って念仏のようにしつこく言うから、この前やってみたけど、全然だめだったもんなぁ。

途中まではよかったんだよ。ダメもとで、数年前に問い合わせがあった先にアポ取りの電話を入れてみたんだ。そうしたら、あっさり面談できたんだよね。しかも見積依頼までもらってさ。

「これ、見積もってくれない？　ロットは月７００で」ってね。その時は、**「すげー！　おれ、営業の天才かも」**って一瞬思ったよ。

でもそこからが最悪だったなぁ。見積をつくって持っていったら

「この価格じゃ話にならん！　少なくとも３割は下げてくれ！」ってさ。

結局、安売りないと新規開拓なんてできないってことなんだな。でもそんな価格で売ったら赤字になっちゃうよ。**もし、こんな値下げ要望を社内に持ち帰ったら、五十嵐製造部長に激怒されちゃうもん。**

だから、その場で「できません」って断ったんだよね

そうしたら、お客さん「二度と来るな！」だって。こっちだって、もう二度と行きませんよ～だ。**ホント、あの時間ってムダだったよ。**

ホント、新規開拓を加速させたいなら、せめてコネのある見込み客のリストくらいほしいよ。まぁ、うちにはコネなんてないんだろうけどね。

「ブー・ブー（スマホのバイブ音）」

お、やった！　**転職エージェントから面接通過のお知らせが来た。**よし！　この会

社に採用されたらおれもいよいよ転職かな?

4 我関せずの五十嵐開発製造部長。おれの仕事はよいモノをつくることだ!

《五十嵐開発製造部長の心の声》

社長が怒っておられる。

確かに社長のおっしゃる通りだ。**営業部門はいったい何をやっているんだ。**おれたちは最高の品質のものをつくってるのに・・・。

うちの会社は品質ならどこにも負けない。何しろあの大手メーカーZ社に鍛えられているからな。うちの技術力と品質を欲しがる会社なんか、いくらでもあるはずだぞ。

それなのに、いまだに一社も新規開拓できないなんて・・・サボってるとしか思えないぞ。

大体、営業部のやつらは、納期とか価格とか、いつもいつもムリを言ってくる。顧客の言いなりになってるんじゃないのか!だから、いつまでも新規開拓ができないんだ。

まぁいい。うちの部の仕事は、よいモノをつくることだ！　これからも最高の品質のものをつくっていこう。

5 高杉総務経理部長。銀行交渉と社内の秩序はおれが守る！

《高杉総務経理部長はこう思っている》

社長がまた、声を荒げている。これはまずいぞ。

特に今回の会議には、管理職でない田中君も入っている。彼が、「パワハラだ」などと、労働基準監督署に駆け込んだら大変なことになる。

そんなことにならないように、彼を後でけん制しておこう。

それにしても、新規開拓が必要だと社長がおっしゃるのはもっともなことだ。

Z社からの仕事は年々、量も利幅も減ってきている。もしも、このままの状態が続くと、資金繰りがかなり厳しくなるぞ。

まぁ、そこはおれの腕の見せ所だ。銀行と上手く話しをして、融資を引っぱってき

てみせる！

ん？　**田中君がスマホを見てるぞ。**まずい。彼が妙な動きをしないように釘を刺しておかなければ。

6 なぜ、儲かっている中小企業は展示会を活用するのか？

金もコネもない株式会社名井内が新規顧客開拓に苦戦する様子をお読みいただきました。

株式会社名井内にとっては、新規開拓は必須です。にもかかわらず、一向に新規開拓の動きが加速せず、社内はバラバラです。

この様子を、あなたはどうお感じになったでしょうか？

「う〜ん。ここまでひどくはないけれど、うちにも似たような状況があるなぁ」

おそらく、こう思ったのではないでしょうか？

わたしは、**展示会営業®コンサルタントとして、日々企業や経営者さんのお手伝いさせていただいておりますが、その多くは中小企業です。**

これまで、数えきれないほど営業や広報の現場に入らせていただきましたが、程度の差はあれほぼ全ての企業は、株式会社名井内に似た状況が散見されるのです。

「今までと同じ顧客に、同じ商材を、同じやり方で、売っていてはジリ貧になってしまう」

多くの方がこう感じています。だから、多くの企業で、株式会社名井内と同じように『新規顧客開拓』を営業方針として掲げています。

ところが、これが上手くいかないのです。大企業とちがって、**中小企業には、資金力も、知名度も、人脈もありません。まさに、『金なし・コネなし』なのです。**

そんな中で、それでも新規開拓をしようとするとどうなるでしょうか？

「営業の基本は、足で稼ぐことだ。コツコツできることをやるしかない！」

こう思われたあなた。大正解です。

そうなんです。金もコネもない中小企業が新規開拓をしようとすると、営業マンががんばって足で稼ぐ人海戦術に行きつきます。

でも、それをやるためのマンパワーが中小企業にはありません。

「それなら、新しい人を採用して営業部門を増員すればいいじゃないか」

確かにそうなのです。でも、この採用難の時代に、優秀な人材を採用・定着させるのは、相当むずかしいと言わざるを得ない状況です。

こうして、**『新規顧客開拓』という方針は、掛け声だけになってしまう**のです。


では、どうすればよいのでしょうか？

金もコネも人手も不足している中小企業は、このままジリ貧になっていくしかないのでしょうか？

決してそんなことはありません。

その**突破口になり得るのが、『展示会』**なのです。


展示会とは、東京ビッグサイト、幕張メッセ、インテックス大阪、ポートメッセなごやなどの展示会場で開催される商品、サービス、情報を宣伝するための催しのことです。

代表的なものに、日本ものづくりワールド、フーデックスジャパン、ビューティーワールド、スポルテック、Japan IT Weekなどがあります。

展示会は大規模なものだけでも全国各地で年間約８００回行われています。ほぼ**毎日どこかで開催され、出展社数は10万社以上、来場者は１４００万人**にも及ぶ一大産業です。

わたしは、様々な業種業態の中小企業さんの、展示会出展のサポートをする中で、**展示会には、大きな力がある**ことを実感しています。わたしがお手伝いした企業では、展示会に出展することで、新規顧客開拓に成功し、売上アップを実現します。

ですが、展示会の力はそれだけではないのです。新規顧客獲得や売上アップの実現以外にも組織を活性化するたくさんの力があるのです。

- **社内の一体感が高まる**
- **社員が会社の未来について真剣に考えるようになる**
- **営業部門が御用聞きから教える人になる**
- **社員が自社に対してプライドを持つようになる**

・優秀な人材を採用できるようになる

だからでしょうか？　儲かっていて元気のいい中小企業は例外なく、展示会を活用しているのです。

前述の株式会社名井内も展示会を活用することで、今の状況を大きく好転させることができるはずです。

でも、当然ながら、展示会に出展しさえすればよいわけではありません。ただ単に何も考えずに展示会に出展するだけだと、逆効果になりマイナスを生む危険性すらあります。

「じゃあどうすればいいんだよ、展示会のプロ、清永さんよ！」

安心してください。確実に成果を出し、その効果を組織活性化にもつなげ、**会社を儲かり体質に変えていく展示会出展にはやり方があります。**わたしは、これを**展示会営業®術として体系化**しています。

これから、そのやり方を解き明かし皆さんの常識を覆してみせます！

どうぞご期待ください。

※株式会社名井内及び事例はフィクションです。

2章

金もコネも不要！
展示会出展が
小さな会社を救う

1 展示会は、小さな会社が大企業を食う痛快な手法

「これからは、ますますＷＥＢの時代になる。そんな中、展示会なんて時代遅れになるんじゃないのか？」

展示会のプロとして活動をしていると、よくこのような質問をいただきます。すでに「はじめに」でもお伝えした通り、決してそんなことはありません。

ここでは、この点について、さらに詳しく見ていきましょう。

たしかに、今では、中小企業でもＷＥＢサイト（ホームページ）を持つことが当たり前の時代になっています。

ところが、大企業と異なり、**中小企業ではＷＥＢで成果が出ないケースが非常に多いのです。**わたしのところにも、「ＷＥＢサイトはあるけれど、一向に見込み客確保や売上増加につながらないので、何とかしたい」という相談をいただくことがたくさんあります。

そういったサイトを見させてもらうと、**多くの場合、共通する問題点**があります。

それは、**自社の商品やサービスを知ってもらうことばかりに必死になっている**という点です。

もちろん、ＷＥＢサイトをつくる上で、自社のＰＲをすることは重要です。しかし、ＰＲに必死になって、売り込み色が強くなりすぎると逆効果になってしまいます。

ＷＥＢサイトを閲覧する人は何らかの目的があってサイトに訪問しています。この目的をかなえるようなコンテンツをつくることが重要なのです。この点において、中小企業は、**大企業と比べると圧倒的に不利**なのです。

大企業なら、自社の商品やサービスを知ってもらうためにＷＥＢサイト上に多くのスペースを取る必要はありません。なぜなら、大企業の商品やサービスは、対企業向け、対消費者向けを問わず、すでに一定の認知を得ているからです。大企業は、自社の商品やサービスの紹介は、ほどほどにして、サイト閲覧者の目的をかなえるコンテンツを提示しやすいのです。

では、中小企業はどうでしょうか？　社名、ブランド名や商品名だけで、「ああ、あれね」と認知される**大企業とちがい、自社や自社の商品・サービスをわかってもら**

うだけで大きな労力がかかってしまい、問題解決のコンテンツの提示までたどりつかないのです。

もしも、幸運にして見込み客が自社ＷＥＢサイトの問題解決のコンテンツにたどり着いてくれたとしても、そこからが、また大変です。なぜなら、ＷＥＢサイトの宿命として、情報提供が一方方向にならざるを得ないからです。

ＷＥＢサイトでは、相手の関心や反応がわからないまま一方的な説明をするしかありません。**見込み客にあらかじめ好印象を持たれている大企業ならまだしも、そうでない中小企業が一方的な説明だけで、購入意欲を喚起するのは至難の業**です。

こう考えると、中小企業がＷＥＢサイトを見込み客確保のための主軸に据えるのは無理があると言わざるを得ません。

しかし、これから本書で詳しく解説していく**展示会営業®術を活用すれば、年１回の展示会出展、つまりわずか３日（多くの場合、展示会の会期は３日です）で、数多くの優良な見込み客と接点を持ち、問題解決に向けて強烈な興味付けをすることができる**のです。

もちろん、展示会で成果を出すためには、リアルな営業活動だけでなくＷＥＢを併用することも重要です。

たとえば、ブースで名刺交換した見込み客を、自社のＷＥＢサイト上の特設サイトに誘導したり、見込み客に対して展示会後、定期的にメールマガジンを送ったりすることがそれに当たります。

しかし、これらはすべて見込み客と接点を持った後のアクションです。中小企業において、**すべての起点である「見込み客と接点を持つ」というポイントについては、ＷＥＢよりも展示会の方が有効**なのは、疑いようがないでしょう。

次に、展示会の出展スペースについて考えてみましょう。

わたしが展示会営業®コンサルタントとしてお手伝いする企業の多くは、一小間、二小間の小さなスペースで展示会に出展するケースが多いです。

「**『小間《こま》』**って何だろう？」

多くの方は、まずこう考えるでしょう。それは仕方ありません。展示会に出展したことがないと、「小間」という言葉など、あまり耳にすることは少ないと思います。

さて、この「小間」というのは、展示会場で主催者が出展社に貸し出す空間の単位のことなのです。一小間は通常、３ｍ×３となります。

当然、小間数が大きくなればなるほど出展料が増えていきますから、資金力がある大企業とちがって、中小企業は多くの場合、一小間や二小間で出展することになります。

「大きなスペースで出展した方が成果も出るに決まっている。やっぱり、展示会も大企業が有利なんじゃないか！」

あなたは、そう思ったかもしれません。

でも、安心してください。**展示会では、必ずしも大きいスペースだから成果が出やすくて、小さなスペースだと成果が出にくい、というものではありません。**

展示会出展で中小企業が失敗する原因の多くは、大企業の展示会出展を中途半端に真似してしまうことにあります。

典型的な大企業の展示会出展とは、10小間以上の広大なスペースにお金をかけた派手なブースをつくり、華やかなコンパニオンさんたちに商材を訴求させるというものです。

あなたも、きっとどこかの会場で目にしたことがあるでしょう。

「展示会に出展したって意味ないよ。**だって成果なんか出ないもん**」

こんな風におっしゃる方の多くは、こうした大企業の派手な展示会出展を理想形と考えて展示会に出展しています。

もちろん、こうした大企業のやり方が悪いわけではありません。お金が潤沢にあるのなら、この方法は来場者の記憶にも残りますし、展示会主催者にも喜ばれる有効な手法です。しかし、**資金力に劣る中小企業が、このやり方をしても絶対に上手くいきません。中小企業には中小企業の成功パターンがある**のです。

本書で解説するわたしの**展示会営業®術ノウハウを活用すれば、『金なし・コネなし・人手なし』の中小企業でも、大企業以上に大きな成果を上げることが必ずできます。展示会とは、「小が大を食う」痛快な手法なのです。**

2　まずはここから！　展示会出展の具体的手順と学園祭効果

では、中小企業が成果を出すための、「小が大を食う」展示会出展のやり方とは、どのようなものでしょうか？

それは、正しいプロセスに則って進めていくことです。この正しいプロセスのことを本書では展示会営業®プロセスと呼びます。

展示会営業®プロセスでは、全体を時系列で、**「準備」「当日」「フォロー」の3つのブロック**に分けます。

まず「準備」については、「どの展示会に出るか?」を考慮した上で、出展コンセプトを策定していきます。

この**出展コンセプトは、展示会出展におけるすべてのプロセスの中で成果を上げるために最も重要なポイント**です。

次に、展示会「当日」について考えていきます。このフェーズでは、展示会場での運営オペレーションを構築していきます。

具体的には、「どんなブースにするか?」「どのように来場者を惹きつけるか」を考えます。この際に重要なのは、**ブースやスタッフのトークなどのすべてを出展コンセプトの合致させる**という点です。

ブースを見たり、スタッフと会話すると、自然と出展コンセプトが来場者に伝わるように、出展コンセプトと一貫性のあるものにすることが重要なのです。

確実に成果を上げる展示会営業®プロセス

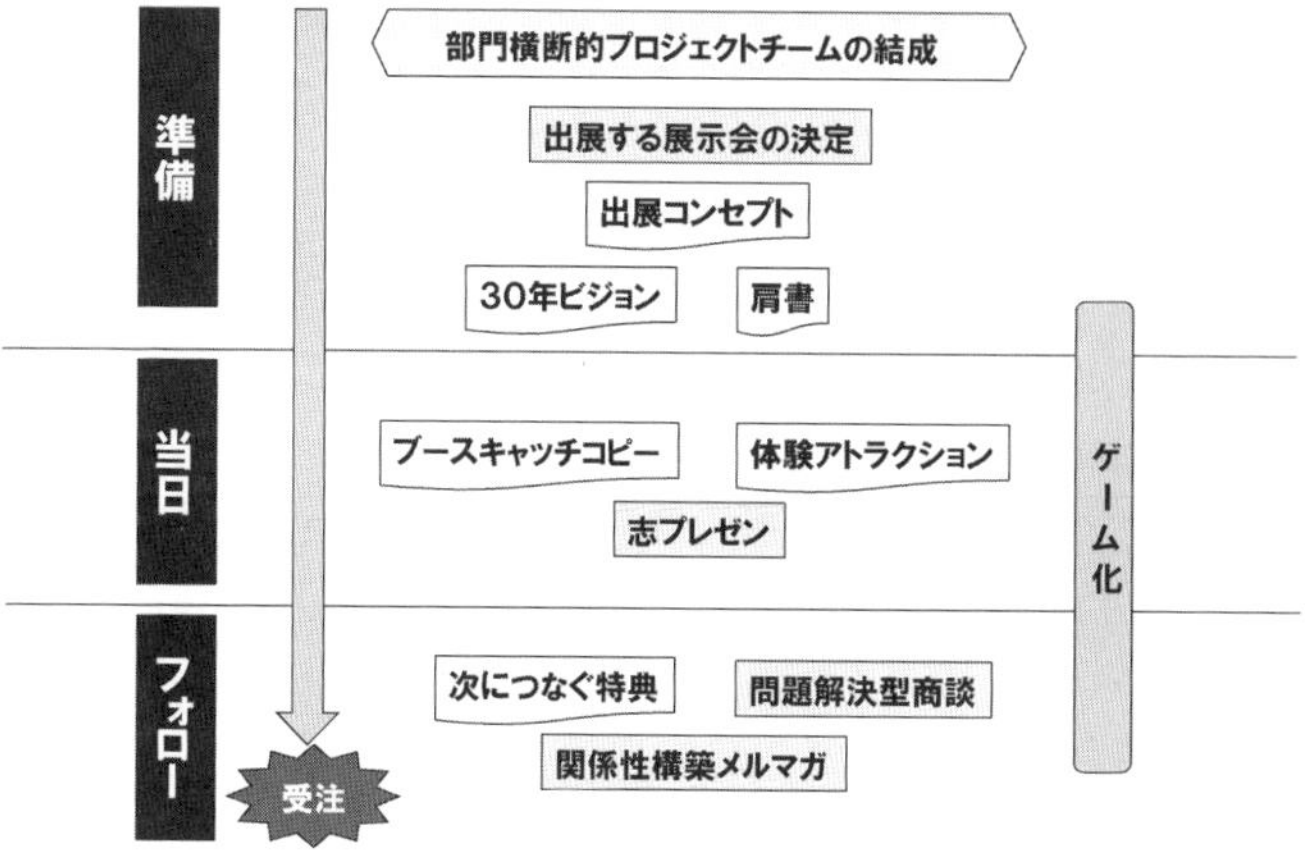

最後のプロセスは「フォロー」です。展示会後のフォロー体制を整備します。

ここでは、「次につなぐ特典」や「継続的に関係性を構築していく方法」について考えます。**展示会の当日、展示会場で商材が売れることは、基本的にありえません。**

ということは、売上をつくるために一番大事なのは、実は、この「フォロー」のフェーズなのです。

にもかかわらず展示会に出展する企業の9割以上は、展示会が終わってから、初めてフォローのことを考えます。でも、それでは遅いのです。

展示会が始まる前から、展示会の当日名刺交換した見込み客をどのようにフォローするかをあらかじめ考えた上で、展示会の

当日を迎えることが重要なのです。

さらに全体を通して非常に重要なポイントがあります。それは、**展示会出展を単なる営業上の一施策と考えてはもったいない**、ということです。**より成果を上げるために、展示会出展を「会社を変える取り組み」と位置付けてほしいのです。**

具体的には、この**展示会営業®プロセスを、営業部門やマーケティング部門だけで進めていくのではなく、設計開発、製造、総務経理などなど、全部門を巻き込んで取り組むことです。**

つまり、**部門横断的な展示会営業®プロジェクトチームを結成し、このプロジェクトメンバーで、役割分担を決めて、定期的にミーティングしながら展示会営業®プロセスを進めていく**のです。

もちろん、社長はプロジェクトオーナーとして毎回このミーティングをオブザーブします。プロジェクトメンバーの人数は、目安として5人から12人程度と考えるとよいでしょう。

わたしが、展示会出展をご支援するときは、必ずこの部門横断的なプロジェクトチームを結成していただいています。

すると、いつも、おもしろいことが起こります。**社内のコミュニケーションが増え、風通しがよくなり、組織が活性化してくる**のです。

あなたは、学生時代、文化祭などの学園祭の準備をしたことがあるでしょうか？　その時のことを思い出してみてください。

放課後、クラスで学園祭の準備をしたあの経験です。夢中で準備を進めているうちに、日ごろはあまり親しくなかったクラスメイトとも気づかないうちに積極的にコミュニケーションを取っていたのではないでしょうか？　その想いは共通です。「学園祭をよいものにしたい、でも、なんとか期限に間に合わせなくては・・・」

この葛藤の中で、時にはクラスメイトと激論になったこともあったかもしれません。でもそういう経験を通して、クラスの一体感が格段に高まったはずです。

中小企業における展示会出展も、まさにこのようにするべきなのです。

展示会は期限が決まっている中で、集団でよりよいものを作り上げていくという点

展示会には学園祭効果がある

において、ある意味学園祭と同じです。

企業も学校と同じで、日ごろの接点が少ないとだんだん疎遠になってしまいがちです。

以前は、喫煙所、俗に言うたばこ部屋で、部門間の壁を越えて、社員同士のさまざまな会話が行われていたのですが、最近ではそれも少なくなってきました。

多くの企業で、リアルなコミュニケーションが減ってしまっている現状があります。でもそれではもったいないのです。

人がたくさんいる大企業とちがって、中小企業は、一人ひとりがまじめに仕事に取り組むだけでなく、部門を越えて社員同士が侃々諤々とコミュニケーションを取りながら、全社一丸となって仕事に取り組んでいくことが絶対に必要です。

ぜひ、展示会出展の学園祭効果を中小企業は活用していきましょう。

そして実は、このことを深掘りすると、コミュニケーション量の増加による社内の活性化ということ以上の効果があります。その点については、第6章でくわしくご説明します。

3 ここをまちがえるとすべて台なし。どの展示会に出る？

展示会営業®プロジェクトチームを結成したら、次に、行うべきなのは、**「どの展示会に出るか」を決める**ことです。

２０２０年度版展示会データベース（株式会社ピーオーピー）によると、２０１８年の大規模展示会の開催件数は８５２件です。８５２件もの展示会の中から自社にぴったりな成果の出る展示会を探すのはなかなかむずかしそうですね。

でも安心してください。展示会選びにはコツがあります。そのコツはたった２つです。

ひとつは、自社が所属する業界の定番と言われる展示会に出展することです。

たとえば、製造業なら日本ものづくりワールド、食品ならフーデックス、化粧品ならビューティーワールド、介護系ならケアテックス、葬儀関係ならエンディング産業展などです。

もう少し詳細化して、食品機械なら食品機械工業展（ＦＯＯＭＡ　ＪＡＰＡＮ）、包装資材なら日本包装産業展（ＪＡＰＡＮ　ＰＡＣ）、ロボット関係ならロボデックス、スポーツ関係ならスポルテック、インバウンド関連ならインバウンドマーケティングＥＸＰＯなども定番展示会と言えるでしょう。

こうした定番展示会に出展するのです。そういった定番展示会には、自社のライバルもたくさん出展しているはずです。だって、自社の同業がたくさん出展しているから定番なのですから。

「ライバルがたくさん集まっている血みどろの海に自ら飛び込んでいくなんて、愚行だ！」

確かに、通常のマーケティング論の世界では、競争環境の激しい場所に自ら出向いていくのは悪手だと論じられています。

しかし、**展示会は通常のマーケティング論とはちがいます。**おもしろいことに、展示会では、常識をぶっ飛ばした思い切った戦略をした企業ほど良い結果を残すことになるのです。

こうした定番展示会には、業界トップの企業も出展しているはずです。知名度もあり、営業経費もたくさんありますから派手に振舞います。

そうした業界のトップ企業を目当てに展示会に訪れる来場者は多いはずです。

実はこれが、**中小企業にとって、最高においしい**のです。

もうおわかりですね。

あなたの会社は、**業界のトップ企業お目当てで来場したお客さん**に対して、接点を持てばよいのです。

定番展示会に出展すれば、業界のトップ企業の集客力を活用して見込み客との接点を増やすことができるのです。

これを、展示会営業®術では「コバンザメ作戦」と呼んでいます。

あなたの会社に余裕があるなら、展示会出展に当たって、新たに見込み客となりそうな名簿をリスト提供会社から購入し、郵送、ＦＡＸ、電話などで、自社のブースへの来場を促す、というような集客活動を行ってもよいでしょう。

しかし、多くの中小企業は、資金的にも人手的にも余裕があるとは言えない状況です。そんな場合は、集客については自社内にもともとある見込み客や既存客に案内するだけにして、それ以上は、業界のトップ企業やそれに準ずる大手企業に任せる方がかしこいのです。

展示会では、大企業の集客力を活用する、この「コバンザメ作戦」をいかに有効に使うかで成否がわかれてくるのです。

4 テーマや商材をズラして出展する視点

同じ業種やサービスが集まる定番展示会に出展するよさは、**外れがない**ということです。その意味では無難な方法だと言えるでしょう。しかし、それだけではひねりがありません。

ここでは、この無難な方法以外に少しおもしろい出展展示会の選び方について考えてみましょう。

わたしが出展社説明会で講演するなど主催者をサポートしている展示会にＳＣＡＪというものがあります。この展示会は、毎年９月に東京ビッグサイトで行われるアジア最大の**スペシャルティコーヒーのイベント**です。

コーヒーの展示会ですから、展示会場は、コーヒー一色に染まります。コーヒーの豆、コーヒーに入れるシュガー、コーヒーのカップ、コーヒーをつくるバリスタさんの腕を競う大会も行われています。

そんな中で、**一番人だかりをつくっていたのは何の商材**のブースだったと思いますか？

答えは、**「紅茶」のブース**です。

「え？　コーヒーの展示会なのに紅茶？　何かのまちがいじゃないの？」

あなたはそう思ったかもしれません。でも、それがポイントなのです。

出展社説明会での筆者の講演の様子

展示会場は閉鎖された空間ですから、ある意味、ひとつの世界と言えます。そんな閉ざされた世界が、コーヒー一色なのです。どこを見ても、コーヒー、コーヒー、コーヒー、コーヒー。

どうでしょうか？　だんだん飽きてきませんか？　そんな中、パッと見ると忽然と紅茶のブースが現れるのです。

「おっ！　紅茶じゃないか！　ちょっと行ってみようか」

コーヒーに飽きた来場者がつい紅茶のブースに足を向けてしまう心理をおわかりいただけると思います。

このように、テーマや商材をズラして出展するというのが、成果が出る展示会の選び方のもうひとつの方法なのです。

テーマや商材をズラすことによって、閉鎖された空間である展示会場で容易にオンリーワンの存在になることができるのです。

ただし、単にズラせばよいわけではないことに注意してください。前述の例でいうと、コーヒーの展示会に、建築資材の会社が出展してもおそらく成果は出ません。確かにオンリーワンの存在になり、目立つでしょうが、それだけではダメなのです。

ここで成果を出すためのポイントは、**来場者の属性を考えること**です。前述の「紅茶」のブースはその意味でも秀逸です。なぜなら、コーヒーに関する商材を買い付ける権限がある人は、おそらく、紅茶を買う権限も持っているからです。

来場者の属性が自社の見込み客に合致するかどうかを考えた上でズラすという発想を持って出展する展示会を選んでくださいね。

「でも、８００以上も展示会がある中で、どんな風に候補の展示会を見つけていけばいいのだろう？」

そんな風に思う方も多いでしょう。そんな展示会選びで悩む方のために、わたしは「展示会営業®売上アップ実践会」というＷＥＢサイトを運営しています。さまざまな展示会の特徴について記載しているページもありますのでご活用ください。

たとえば、展示会ごとの特徴をレポートしたページがこちらです。

https://tenjikaieigyo.com/work

「ズラす発想かぁ。うちの場合はどう考えたらいいんだろう？」

あなたはそう思っておられるかもしれませんね。もう少し具体的に見ていきましょう。テーマや商材をズラして出展する展示会を選ぶ時には、まず、自社の顧客と商材を見ることです。**どの商材がどういう客層に売れているか、を把握**します。

売上構成の中のメインではないけれど最近伸びている客層や利益率の高い商材を特に喜んで使ってくれている層などが把握できるといいですね。

そういう客層が見つかれば、その客層の人たちが来場する展示会を探します。そしてその展示会に出展するのです。

たとえば、さまざまな業種業態に教育研修を提供している会社があるとしましょう。この会社が「コバンザメ作戦」で定番展示会に出る場合は、ＨＲ　ＥＸＰＯ（人事労務・教育・採用 支援展）などに出展するとよいでしょう。では、あえてズラす視点の場合はどうするのでしょうか？

まず、どの商材がどの顧客に売れているか、を把握します。その結果、接客・接遇に関する研修が、最近エステサロンに売れていてしかも評判もよい、ということがわかったとします。

そして、今後も会社の方針としてこの接客・接遇研修をさらに拡販していきたいという意向だったとします。するとこの会社は、エステサロンの経営者が数多く来場する「ビューティーワールド」という展示会に出展すべきという結果になります。

「ビューティーワールド」は、化粧品や美容機器に関する展示会ですから、教育研修を商材として出展するだけで、その展示会場では、オンリーワンな存在になれます。

しかも、出会いたい相手であるエステサロン経営者が来場するのですから、成果を出しやすくなりますね。

業種を合わせた直球で行ってうまくいかない場合、次は少し視点をズラして展示会を選ぶと成果が出るということもお忘れないようにしてください。

5 出展コンセプト！　展示会に限定するから尖れる

どの展示会に出るか、が決まったら次に何を考えるべきなのでしょうか？

ここで、ついやってしまいがちなのは、**いきなり「どんなブースにするか？」を考えてしまうこと**です。断言します、それでは成果は絶対に出ません！

その前に必ず検討すべきことがあります。**それは、「だれのどんな悩みを解決する**

ために出展するのか」を考えることです。

展示会営業®術では、このことを**「出展コンセプト」**と名付けています。

「出展コンセプト？　考えるのがむずかしそうだなぁ」

いや、難しく考えないでください。以下の出展コンセプト検討シートに基づいてひとつずつ考えていくだけです。

◆「1．展示会で出会いた相手は？」の項目

まず、始めに、左上の「1．展示会で出会いた相手は？」の欄を埋めていきます。

文字通り、展示会で出会いたい相手を考えればよいのですが、いくつか注意点があります。

というのも、多くの人がこの問いに対して、「建設業」「組立製造業」などのように業種を記入してしまうからです。

しかし、**「建設業」「組立製造業」という人は展示会場を歩いてはいません。**「建設業の設計部門の責任者」とか「組立製造業の社長」のように、きちんとパーソン単位まで落とし込んで考えましょう。

すべての土台となる出展コンセプト検討シート

1. 展示会で出会いたい人は？

2. その人が日ごろ心の中で
つぶやいている悩みは？

3. だったら、うちが（こんな風
に）役に立てますよ

4. ホント？って思うでしょ。
裏付けはね・・・

※この「出展コンセプトシート」は
https://tenjikaieigyo.com/conceptsheetform/ より
ダウンロードしてお使いください。
ダウンロード資料は「本書でご紹介していない業種」の
コンセプトシート事例も掲載しています。どうぞご活用ください。

さらなる注意点は、「出会いたい相手」には、出展予定の展示会に一定数以上来場する属性の人を設定するという点です。これは、当たり前ですが来場しない人を「出会いたい相手」に設定しても成果はでないからです。

こちらのヒントとしては、どういう属性の人が来場するか不明な場合は、該当する展示会の主催者に、出展検討社として電話などで問合せをしてみるとよいでしょう。昨年の実績などのデータを教えてくれることがあります。

◆「2．その人が日ごろ心の中でつぶやいている悩みは？」の項目

次に、「1．展示会で出会いた相手は？」で設定した人が、「日ごろ心の中でどのような悩みをつぶやいているか？」を考えます。

この問いが、出展コンセプト検討シートの中の4つの質問の中でもっとも重要です。できるだけ多く挙げてみましょう。

この時のポイントは、**自社が解決できるかどうかは別として、その人になりきって悩みをできるだけ多く列挙する、**ということです。

こういう場合に、私たちはつい、自社が提供する商材で解決できる悩みだけを考え

てしまいがちです。でも、それでは、売り手側の発想になってしまいます。売り手発想になると、来場者には売り込みと映ります。

こちらの都合だけの売り込みは嫌われてしまいますから、成果が出なくなってしまうのです。

経営者や担当者は、勤務する中でさまざまな悩みを抱えているはずです。その悩みを、その人になりきって挙げていくのです。

たとえば、出会いたい相手が「中小製造業の社長」で、あなたが展示会で訴求する商材が「工場用の部品棚」だったとしましょう。この時に、自社が解決する前提で悩みを挙げてみましょう。

まず多くの方はこんな風に考えるのではないでしょうか。

・最近部品点数が増えてきて整理整頓が大変だ
・工場のスペースが手狭になってきた
・部品の紛失によるロスが多くて困る

これらは確かにその人の悩みではあるでしょうが、まだまだ自社視点、売り手視点で相手を見すぎています。そうではなくて、「中小製造業の社長」になりきって、自社が解決できるかどうかは別として考えてみましょう。

そうすると、先ほど挙げた自社が解決できる悩み以外が見えてくるはずです。

・人手が足りなくて困る
・値引き圧力が強くて儲からなくなってきている
・品質にバラツキが多くなっている

「中小製造業の社長」が悩んでいる様子が目に浮かんできませんか？　こういう視点が成果を上げる出展コンセプトになります！

「自社が解決して差し上げられない悩みを挙げても意味がないんじゃないだろうか？」

あなたはそう思ったかもしれませんが、実際に解決できなくてもいいのです。

相手がそういう悩みを持っていることを理解した上で、その悩みに寄り添い共感してあげる姿勢は必ず相手に伝わります。自社商材で解決できる悩みだけをあげつらって売り込みをしてくるブースと、相手の悩みに共感し寄り添いながら提案するブース、来場者にとってどちらが取引の対象になってくるのかは明白ですね。

相手の悩みを挙げる際の表現についても重要です。**きれいにまとめすぎず、相手が心の中でつぶやいている言葉そのままを記載しましょう。**

「人材が不足していて不都合が生じている」ときれいに表現するのではなく、「人手が足りなくて困るなぁ」と生々しく表現するということです。なぜなら、日ごろ心の中でつぶやいている悩みなら、展示会場でも、つぶやいているはずだからです。

自分が日ごろ心の中でつぶやいている悩みを生々しく体現したブースが現れたとしたら、その人は必ず、そのブースに足を止めます。だから、取り繕うことなく心の中のつぶやきをそのまま生々しく表現しましょう。

展示会で出会いたい人の悩みをできるだけ多く列挙したら、次に、列挙した悩みに優先順位をつけていきます。その人になりきって、優先順位付けをしていきましょう。

◆「3．だったらうちが（こんな風に）役に立てますよ」の項目

次のフェーズでは、挙げた悩みに対して、自社が役に立てることを記載していきます。

優先順位の高いものから順番に、自社が役に立てることを、記載していきましょう。

自社では解決できないものもあるでしょうね。それで構わないのです。

ただし、できるだけ柔軟に考えていきましょう。もう少し具体的に言うと、多少こじつけでも構わないということです。

たとえば、前述の工場用の部品棚の会社なら、「品質にバラツキが多くなっている」という悩みに対して、『当社の部品棚を使うと工場を整理整頓することができる。整理整頓された工場で作業をすることによって、品質が安定する（かもしれない）』というように、**風が吹けば桶屋が儲かる式に多少強引にでも、自社が解決できると言ってみる**、ということです。

頭の体操だと思って考えてみてくださいね。

◆「4．ホント？　って思うでしょ、裏づけはね・・・」の項目

いよいよ出展コンセプト検討シート、最後の項目です。

人は、「うちならこんな風に役に立てますよ」と言われると、反射的に身構えるようにできています。身構えて心の中でこう思うのです。

「ホントかなぁ？　売りたいから言ってるだけなんじゃないかなぁ」

この疑問を払拭するための情報を挙げていきます。商材の性能やスペック、実績や事例、顧客の声などがこの欄に入ることになるはずです。

全体を通して出展コンセプト検討シートを埋めていく際に、重要なことが2点あります。それは、あれもこれもと欲張りすぎないことです。

わたしが展示会営業®コンサルタントとして、さまざまな企業にお伺いしていると、こんな希望を出される出展社企業さんが多いのです。

・うちの商材にはさまざまなものがある。すべて来場者に見てもらおう
・うちの顧客は製造業から小売業まで多岐にわたる。すべてのお客様に来てもらおう
・とにかくたくさん商品を展示しよう。だって展示会でしょ

めちゃくちゃ欲張りですね！　これでは成果はまず出ません。

なぜなら、このような意見を反映してつくられたブースは見た目もコンセプトもよくわからないものになってしまうからです。

自社のブースしかないのであれば、それでもよいのですが、展示会場にはたくさん

のブースがあります。**よくわからないブースは、3秒でスルーされてしまう**のです。

「何のブースかよくわからなければ、その謎を解き明かそうとして立ち寄ってくれるんじゃないだろうか？」

このように言う方がおられます。断言します！　そんなことは絶対にありません！

こう考えるのは、出展社側の幻想です。来場者はよくわからないブースには立ち寄りません。では、いったいどうすればよいのでしょうか？

『1ブース＝1アイテム＝1ターゲット』

シンプルイズベスト！　これが答えです。あれも、これもと欲張るのではなく、絞り込むという発想を持ちましょう。

ターゲットや商材を絞り込むのは、何か大事なものを切り捨てるようで苦しい気持ちになるかもしれません。でも、本当に事業領域を絞り込むわけではありません。展示会での見せ方を絞り込むだけですので、気楽に取り組みましょう。

一点補足しておきます。それは、「1アイテム」を、「たったひとつの商品」と、必ずしも文字通りの意味でとらえる必要はないということです。商品Aと商品Bを組み合わせて提供する方が、「1ターゲット」で設定した相手にとって価値が高まるのなら、A商品とB商品を合わせて「1アイテム」と考えても構いません。

その意味では、「1アイテム」は「1ソリューション」と言い換えた方がよいケースもあるでしょうね。

それよりも、もっとも重要なのは**「1ターゲット」です。ここをきちんと設定することが展示会での成果を決定づける**と言っても過言ではありません。

この「1ターゲット」というのは、出展コンセプト検討シートの「1．展示会で出会いたい相手は？」の考え方と同じなのです。

おわかりでしょうか？　出展コンセプト検討シートを埋めていくことで、**自然と、『1ブース＝1アイテム＝1ターゲット』になっていく**のです。その意味でも、出展コンセプト検討シートを手順に沿ってしっかり埋めていきましょう。

最後に最も重要なこと。それは、この出展コンセプト検討シートを埋めていく作業は、社長を筆頭に、営業部、マーケティング部、設計開発部、製造部、総務経理部など各部門のみんなで議論しながらつくりあげていくことです。

社長がプロジェクトオーナーのプロジェクトチーム全員で考えて決めていくからこそ、出展コンセプトに対する納得と愛着が生まれ、展示会当日やその後のフォローの動きにも、全部門が主体的にかかわっていくようになります。

さらに、出展コンセプトを検討していく中で、**自社がなぜ顧客に選ばれているのか？　ライバルと異なる自社の強みはどこなのか？**　を真剣に考えることになります。

製造部や総務部など日ごろ顧客と接しない人たちも、顧客のことを真剣に考えるでしょうし、これまでは、売ることしか考えていなかった営業部門も、製造部が議論に入ってくることによって、「つくる」ということを意識します。

この経験は、下手な研修の１００倍以上の教育効果があると考えます。

あなたの会社も、出展コンセプト検討シートはだれかひとりが考えるのではなく、プロジェクトチーム全員で考えるということ徹底してほしいと思います。

6　《ナマ事例》オーアンドケーの出展コンセプト検討シート

出展コンセプトシートづくりは、展示会での成果を決定づけるもっとも重要なポイントです。

あなたの会社の出展コンセプトもプロジェクトメンバーで議論して、しっかり練り上げてほしいと思います。あなたの会社が出展コンセプトを練り上げていく時の参考になるように、ここでは、実例を見ていこうと思います。


株式会社オーアンドケーという企業は、愛知県にある清掃サービスの会社です。創業以来、ビルや飲食店の清掃を行っていますが、社長は、このまま同じ客層を相手にするだけでは、いずれ事業がジリ貧になると危機感を感じていました。

そこで、新たな客層として介護施設を開拓することを決意し、福祉や健康に関する中部地区最大の健康産業展ウェルフェアに出展することにしたのです。

出展にあたり、オーアンドケーは、弊社の展示会営業®コンサルティング研修を受講し、社長を含む７名の展示会営業プロジェクトチームを結成しました。

オーアンドケーの出展コンセプトはどのようにして固まっていったのでしょうか？

◆事例「展示会で出会いたい人」は？

まずはこちら、オーアンドケーの場合はどうなるでしょうか？

展示会で出会いたい人は？
（オーアンドケーの場合）

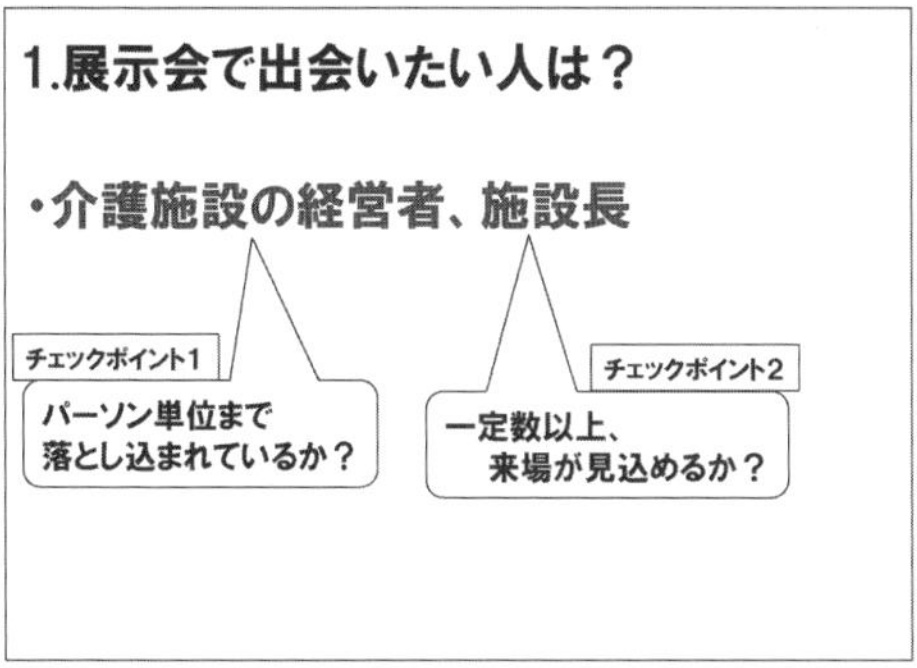

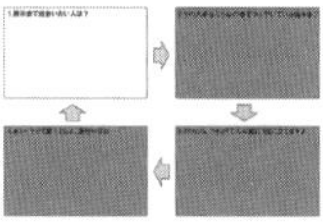

介護施設に清掃サービスを提供したいのですから、出会いたい相手は、「介護施設の経営者」です。これでよさそうですが、念のためチェックしておきましょう。

チェックポイント1は、**業種ではなくパーソン単位まで落とし込まれているかどうか**です。「介護施設」とするのではなく、「介護施設の経営者」となっていますからオッケーですね。

チェックポイントの2は、ここで**設定した相手が、展示会に一定数以上来場するかどうか**です。健康産業展ウェルフェアには、介護施設の経営者がたくさん来場しますから、このチェックポイントも問題ありません。

◆事例「その人が心の中でつぶやいている悩みは？」

「介護施設の経営者」が心の中でつぶやいている悩みは、何でしょうか？ このことについて、話し合った時、実は、プロジェクトメンバーからは、具体的な悩みがあまり上がってきませんでした。

無理もありません。オーアンドケーは、まさにこれから介護施設を開拓しようとしているのですから、今現在、介護施設について詳しくなくても仕方ありません。

あなたの会社も、場合によっては、「展示会で出会いたい人」が「日ごろ心の中でつぶやいている悩み」を具体的に挙げることができないというケースがあるかもしれません。

そんな時はどうすればよいのでしょうか？ 答えは簡単です。そういう時は、**「相手に聞きにいく」というのが、展示会営業®ノウハウにおける鉄則**です。

相手の悩みがわからない時に、自分たちだけで、あれこれ考えすぎてはいけません。それでは、単なる妄想になってしまいます。組織風土がまじめな企業ほど自社で考えすぎて妄想になってしまうケースが多いので注意してください。

その人が心の中でつぶやいている悩みは？（オーアンドケーの場合）

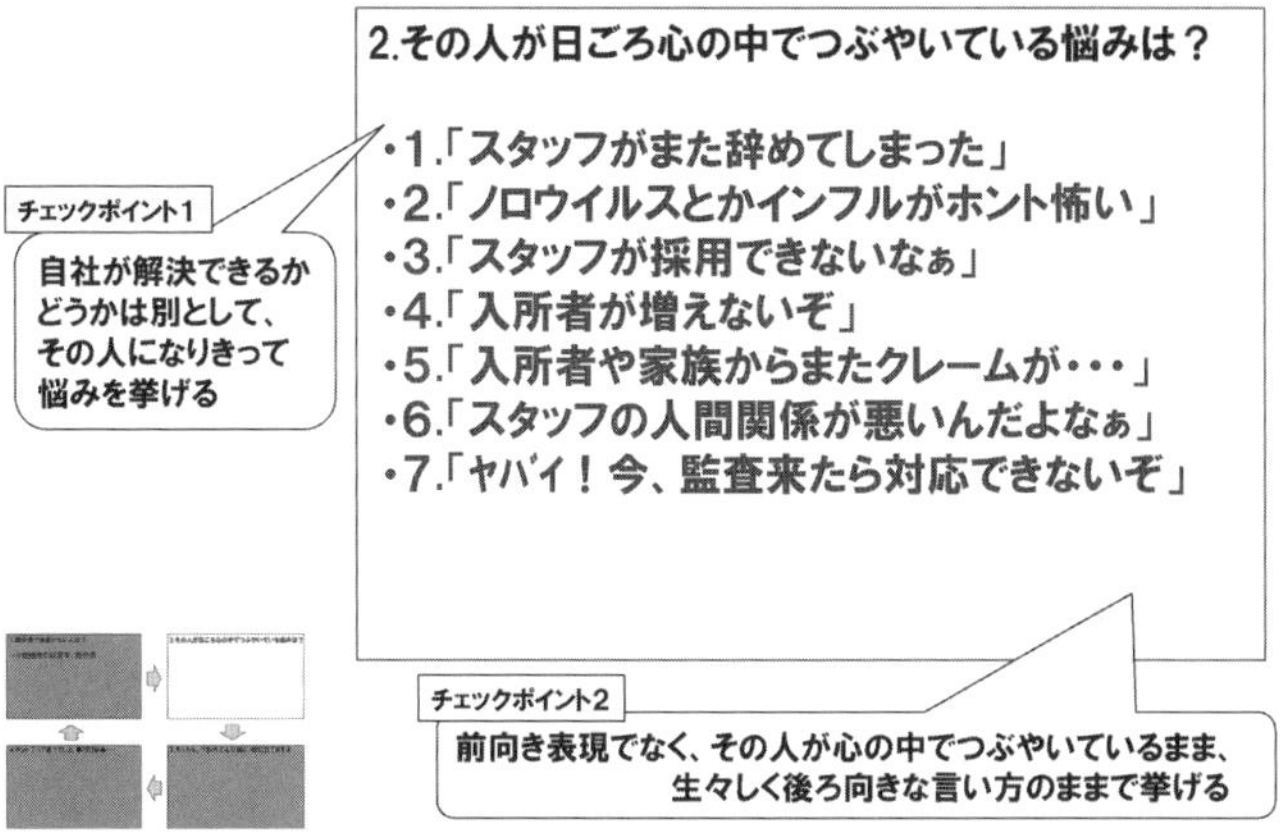

オーアンドケーも、鉄則通り、相手に聞きにいきました。

ラッキーだったのは、プロジェクトメンバーのおばあ様が介護施設に入っていたため、そのツテで、介護施設の経営者にヒアリングできたことです。

ヒアリングした結果、さまざまな悩みが出てきました。

「入所者が増えないぞ」「スタッフがまた辞めてしまった」「ヤバイ!今、監査来たら対応できないぞ」「スタッフの人間関係が悪いんだよなぁ」「入所者や家族からまたクレームが・・・」「スタッフが採用できないなぁ」「ノロウイルスとかインフルがホント怖い」・・・などなど。

この時のチェックポイントは２つです。

ひとつは、自社が解決できるかどうかは別として、その人になりきって悩みを挙げることです。そして、もうひとつは、前向き表現でなく、その人が心の中でつぶやいているまま、生々しく後ろ向きな言い方のままで挙げることです。

オーアンドケーが挙げた悩みは、このふたつのチェックポイントをクリアしていますね。


では、次に、この悩みに優先順位をつけていきます。相手になりきって優先順位を決めていきます。オーアンドケーではこのようになりました。

・優先順位１「スタッフがまた辞めてしまった」
・優先順位２「ノロウイルスとかインフルがホント怖い」
・優先順位３「スタッフが採用できないなぁ」
・優先順位４「入所者が増えないぞ」
・優先順位５「入所者や家族からまたクレームが・・・」
・優先順位６「スタッフの人間関係が悪いんだよなぁ」

・優先順位7「ヤバイ！ 今、監査来たら対応できないぞ」

◆事例「だったら、うちが（こんな風に）役に立てますよ」

次は、この悩みに対して考えていきます。優先順位の高いものから見ていきましょう。

優先順位が一番高い「スタッフがまた辞めてしまった」に対してはどうでしょうか？

多少にこじつければ、「勤務先である介護施設が清掃によって清潔に保たれれば、スタッフの定着率が上がる（かもしれない）」と言えないことはないでしょうね。でも、強引な感じもあり、若干苦しい気がします。

続けていきましょう。優先順位が2番目の「ノロウイルスとかインフルがホント怖い」については、どうでしょうか？

これは、清潔な空間を保つ清掃サービスの専門家であるオーアンドケーにとって、ずばり解決できるテーマですね。しかも、見込み客にとって、とても深刻な悩みです。

介護施設では、高齢者が集団で生活していますから嘔吐が多く、ノロウィルスやイン

だったら、うちが（こんな風に）役に立てますよ
（オーアンドケーの場合）

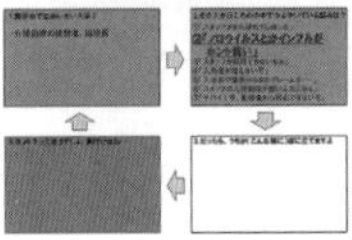

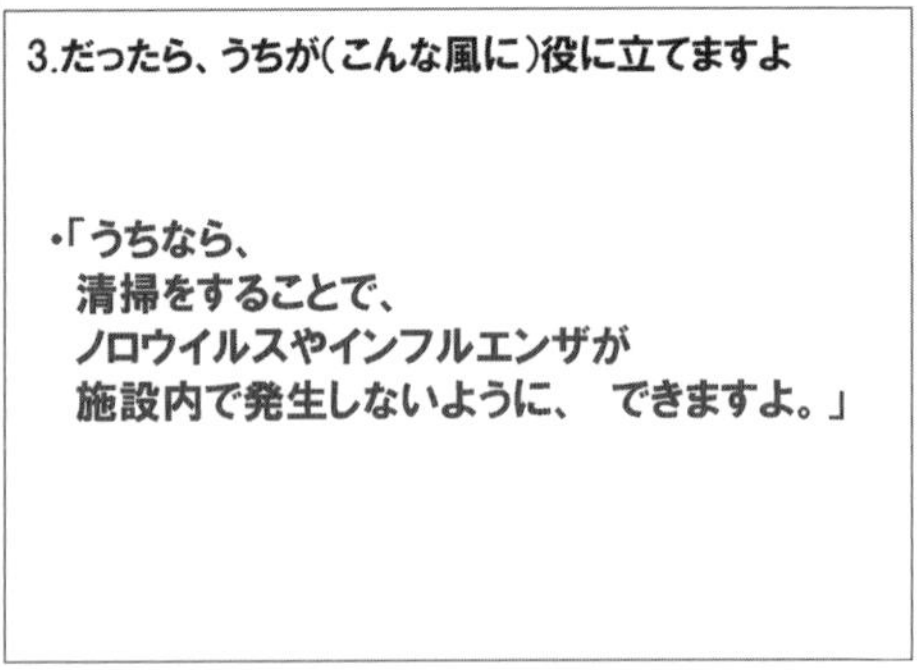

フルエンザは発生しやすいのです。

でも、もし、ノロウィルスが発生してお亡くなりになってしまう方が出たりすると、事業停止になるほどのマイナスの影響が出てしまいます。

この深刻な悩みに対してオーアンドケーは、「うちなら、ノロウイルスやインフルエンザが　施設内で発生しないように、できますよ。」と言えるのです。

これは強力ですね。他の悩みを見ても、ここまでインパクトのある解決策を提示できそうにありません。どうやら、(株)オーアンドケーは、「ノロウイルスとかインフルがホント怖い」という悩みに対応していくことが、ベストのようです。

ホント？ って思うでしょ。裏付けはね・・・
（オーアンドケーの場合）

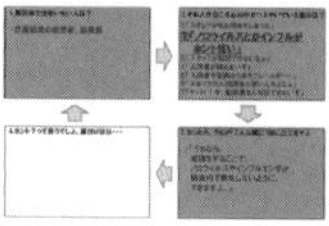

4.ホント？って思うでしょ。裏付けはね・・・

- 30年におよぶ様々な清掃ノウハウの蓄積があります。
- 検査キットーで汚染物質を高感度に測定します。
- 浮遊菌を押さえる加湿器を活用します
- 弊社オフィスでは、清掃と加湿器の活用でたったひとりもインフルエンザになっていません。

◆事例「ホント？　って思うでしょ。裏付けはね・・・」

さぁ、次は、いよいよ、出展コンセプト検討シートの最終工程です。最終工程は、という部分を埋めていきます。

どんな人でも「うちはこんな風にお役に立てますよ！」と言われると、「本当なのか？　売りたいから言ってるだけなんじゃないのか？」という気持ちになりますね。実際に口に出して言うかどうかは別として、必ず思うはずです。

ここでは、この疑問、懸念に答えていきます。オーアンドケーの場合は、次のようになりました。

完成した出展コンセプト検討シート
（オーアンドケーの場合）

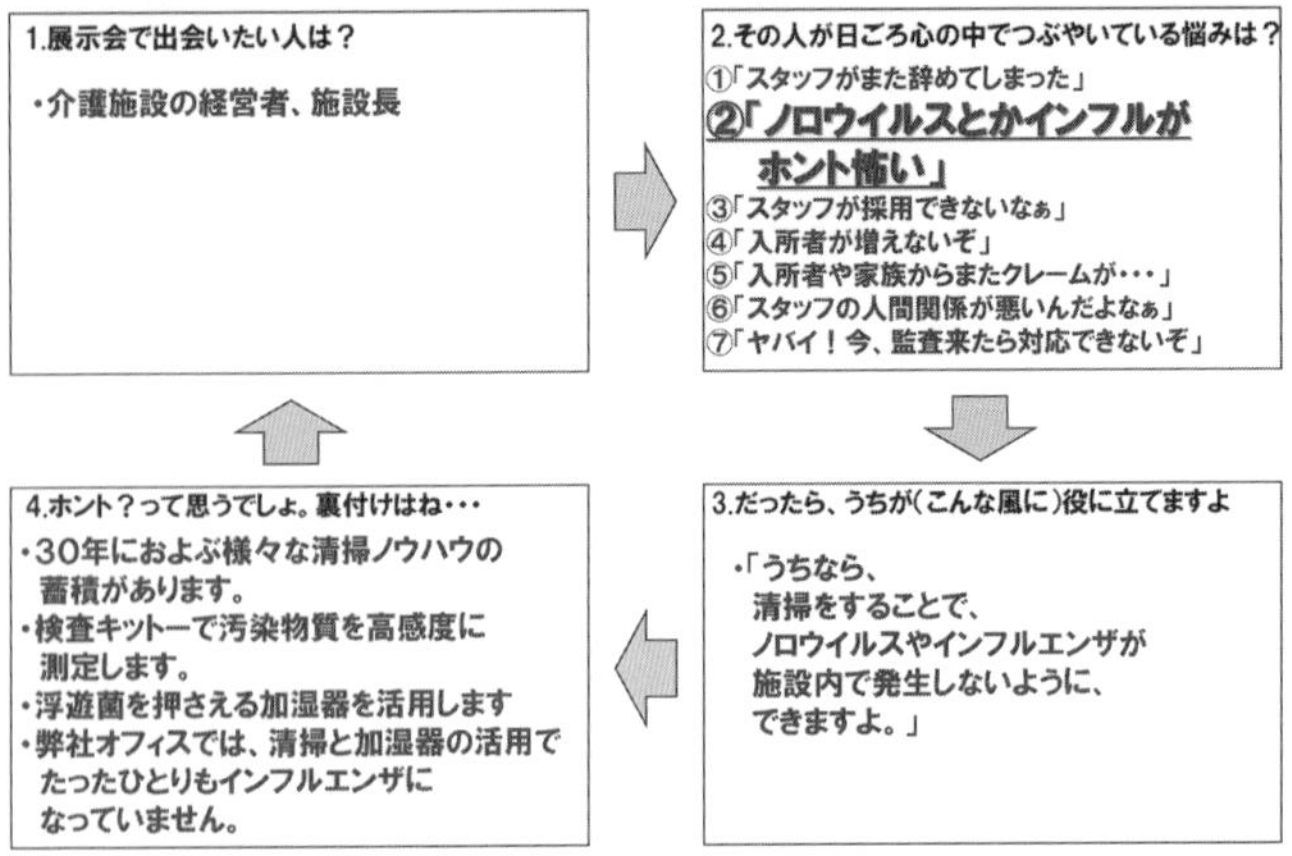

・20年におよぶ様々な清掃ノウハウの蓄積があります。
・検査キットーで汚染物質を高感度に　測定します。
・浮遊菌を押さえる加湿器を活用します
・弊社オフィスでは、清掃と加湿器の活用でたったひとりもインフルエンザになっていません。

さぁ、これでオーアンドケーの出展コンセプト検討シートは完成です。
最後にもう一度、以下を見直しです。

「1．展示会で出会いたい相手は？」
←
「2．その人が日ごろ心の中でつぶやいて

いる悩みは？」

←

「3．だったら、うちが（こんな風に）役に立てますよ」

←

「4．ホント？　って思うでしょ。裏付けはね・・・」

全体を見直して、論理的に無理がないか、スムーズに会話が流れるか、を確認します。

この時に、おすすめなのは、実際に声に出して他の人に説明してみることです。**頭の中だけで考えるのではなく、実際に声に出して口頭で他の人に伝えてみて、説明しづらい点がないかを検証していきましょう。**

7　出展コンセプトを展示会だけで終わらせるのはもったいない

出展コンセプトの作成手順を理解していただけたと思います。あなたも、出展コンセプト検討シートを活用して、1ブース＝1アイテム＝1ターゲットの出展コンセプトを練り上げていってほしいと思います。

そして、出展コンセプトが完成したら、展示会プロジェクトチームのメンバーで、ぜひやってみてほしいことがあるのです。

それは、作成した出展コンセプトで、今後、毎年20年間出展し続けたとしたら、**自社が20年後どんな会社になっているかという「20年ビジョン」を社長を含めたプロジェクトメンバー全員で自由に話し合う**、ということです。

「なんで20年なの？　そんな先のことなんて今どうだっていいだろ！」

あなたは、そう思ったかもしれません。20年後の未来を考えるのには理由があります。

それは、**現在の制約条件から一旦離れて、自由な発想で、できるだけ大きな明るい未来を描いてほしい**からなのです。

現状はさまざまな弱みや脅威があるかもしれません。

・人が足りない
・投資できる資金がない
・人脈がない

・強力なライバルがいる・・・などなど。

でも、20年あれば、こうした弱みや脅威を克服することができるのではないでしょうか？

あなたは、フェイスブック（Ｆａｃｅｂｏｏｋ）社をご存知だと思います。若干35歳のマーク・ザッカーバーグ氏ＣＥＯが率いる、時価総額でも全世界の企業の中で10位以内にランキングされているあのフェイスブック社です。全世界に20億人以上のフェイスブックアクティブユーザーがいます。

では、あなたは、いつ、フェイスブック社が創業したか、ご存じでしょうか？　フェイスブック社の創業は２００４年です。そうです。フェイスブック社は創業してから、まだ20年も経っていないのです。

ゼロから創業し、20年足らずで世界的大企業になったのですから、今、すでに企業として存在しているあなたの会社なら、もっとすごいことになっていてもおかしくないですね。だからこそ、現状の制約から離れて、大きく未来を描いてほしいのです。

20年後には、ＡＩが発達していたり、ゲノム編集技術が実用化されたりと、さまざまなテクノロジーの発達があるでしょう。でも、ここではそういったテクノロジーや環境の変化を考慮しすぎなくてもよいのです。

「20年ビジョン」は、**細かく考えて正確なものをつくるのではなく、広い視野で大きく考えて議論しながら、自社の明るい未来を描いて**みてほしいのです。

そうすると、社内に**「20年ビジョン」を自分事として考える人が出てくる**はずです。

たとえば、オーアンドケーならこのように考える人が出てくるかもしれませんね。

「20年もの長い間、介護施設向けの展示会に出展し続けたら、介護施設のお客さんがかなり増えるだろうなぁ。そのころには、うちの会社は多分、介護施設からものすごく頼りにされてるんじゃないかな。そうしたら清掃してノロウイルスの発生を防ぐだけじゃものの足りないかもしれないぞ。介護施設の入所者さんやヘルパーさんたちがイキイキと暮らすことをサポートする会社になっているかもしれない。ということは、清掃だけじゃなくて、健康に関する知識とかノウハウを身に付けるといいかもしれない。20年後、ぼくは、（わたしは）○歳か。よし、健康運動指導士の勉強でも始めようかな」

この発想が重要なのです。**20年後の自社に前向きに思いを馳せ、そこで活躍することを願い、自分自身で自分の能力開発目標を見出す社員が増えれば、その会社の未来は明るい**はずです。20年ビジョンについて議論することで、メンバー同士の相互理解が深まることもあるでしょう。

「20年ビジョン」ミーティングは、本来、展示会に出展するかしないかに関係なく、取り組むべきことなのですが、やらなければ、現在の業務が進まなくなるようなものではないので、後回しにされてしまいがちです。だからこそ、**展示会出展を機に、出展コンセプトを検討するタイミングで、考えてみてほしい**のです。

あなたの会社も、出展コンセプトの検討を展示会のためだけのものにせず、「20年ビジョン」を議論するきっかけにしてほしいと思います。

最後に、第2章をまとめてわたしがご説明する動画をご用意しています。
こちらもぜひご覧ください。
URL：https://tenjikaieigyo.com/douga

3章

下手をすると逆効果。間違いだらけの展示会運営

1 売り込み禁止！　展示会では微差が大差を生む

突然ですが質問です。

「来場者は何のために展示会に来るのでしょうか？」

少し考えてみてください。来場者として展示会に出向いたことがある方は、その時のことを思い出してみるとよいでしょう。新しい何かを探しに展示会に行ったのではないでしょうか？　そうです。**来場者は「情報収集」のために展示会に来る**のです。

さまざまな展示会で、来場者に「来場目的は何ですか？」というアンケートを取ると「製品・技術動向の調査及び情報収集」「業界・市場の動向調査」という回答が大多数を占めます。

これらは「商談・製品購入のため」という、**出展社が期待する回答**を大きく上回っています。

特定テーマの商材が一堂に集まる展示会は、業界や市場の情報を収集するのに最適な場ですから、これはある意味当然の結果と言えるでしょう。

つまり出展社としては、自分たちの希望的観測を捨てて、**来場者は、「買いに来ているのではなく、情報収集に来ている」**ということを踏まえて、展示会場でどのように来場者を惹きつけるかを考えることが非常に重要です。ここを勘違いしている企業が本当に多いのです・・・。

しかし、知ってしまえば逆に攻略のチャンスになります。

では、どのように来場者を惹きつければよいのでしょうか？

ズバリ、**来場者が情報収集に来ているわけですから、出展社であるわたしたちは、「情報提供」をすればよい**のです。

「何を当たり前のことを言っているんだ？」

あなたはそう思ったかもしれません。でも、本当の意味でこのことを理解している出展社は、わたしの感覚値でいうと全体の10%もいないのです。**90%以上の出展社が情報提供の意味をまちがえています。**

多くの出展社は、展示会場で、**情報提供のつもりで、出展商材の特徴、性能、スペックや価格を来場者に伝えます。**しかし、この行為は本当の意味での情報提供ではありません。多くの場合、**こうしたことを伝えられた来場者は、「売り込まれた」と感じます。**

来場者は、「買いに来ているのではなく、情報収集に来ている」のですから、売り込まれたと感じた瞬間に、心を閉ざしてしまいます。心を閉ざしてしまった来場者があなたの会社の商品を購入するはずはありません。これでは成果が出るはずがないですね。

出展社からすると良かれと思って一生懸命やっていたやり方が、実は逆効果になってしまうのです。悲しいですね。そうならないようにどうすればよいのでしょうか？それは、**来場者の悩みに寄り添い、その悩みの解決に役立つ情報を提供する**ことです。勘のいい方は、もうお気づきかもしれません。そうです。出展コンセプト検討シートの右上：**「その人が心の中でつぶやいている悩みは？」**に対応した情報提供をするのです。

この時に注意しなければならないのは、**いきなり自社商材の活用を前提とした解決**

策を言わない、ということです。

自社商材の活用を前提とした解決策とは、出展コンセプト検討シートの右下：「だったらうちが（こんな風に）役に立てますよ」のことです。これをいきなり伝えると、来場者は「売り込まれた」と感じてしまうからです。

たとえば、出展コンセプト検討シートの例に挙げたオーアンドケーなら、介護施設の経営者、施設長の「ノロウィルスとかインフルエンザがホントに怖い」という悩みに寄り添って、情報提供をします。

ただし、この時「あっ！だったらうちの定期清掃がおすすめです」というようにいきなり自社商材を活用した解決策を伝えてはいけません。まずはもっと純粋に、ノロウィルスやインフルエンザを発生させないための相手の役に立つ情報提供をするのです。

・手洗いのポイント
・うがいのコツ
・消毒をする時の注意点

・注意喚起のポスターに記載する内容

このように、さまざまな情報提供が考えられるでしょうね。

こうしたお役立ち情報の中のひとつとして、自社商材である清掃サービスのことを伝えるのです。すると、来場者は、**「あ〜。このブースは、単に売りたいだけじゃなくって、本当にうちの悩みを解決しようとしてくれてるのかもなぁ」**と思うようになります。

ちょっとしたちがいに思えるかもしれません。でも、この差があとで大きく効いてきます。微差が大差を生むことになるのです。

コラム

肩書で社員のセルフイメージをバージョンアップする

「いきなり自社商材の活用を前提とした解決策を言わない」ということと、同じくらい大切なポイントがあります。それは、自社が解決できない悩みにも触れる、ということです。出展コンセプト検討シートの右上：「その人が心の中でつぶやいている悩みは？」の中には、自社で解決できないものもあるはずです。

たとえば、先のオーアンドケーなら、「スタッフの人間関係が悪いんだよなぁ」「スタッフがまた辞めてしまった」「入所者や家族からまたクレームが・・・」「スタッフが採用できないなぁ」「入所者が増えないぞ」「ヤバイ！　今、監査来たら対応できないぞ」などが、それです。

むずかしく考える必要はありません。「あなたは、こうした悩みを抱えておられるのではないですか？」と伝えるだけでよいのです。

「そんなことをして、もし、『そうなんです！なんとかしてください！』って言われたらどうするんだ。うちでは解決できないぞ！」

あなたは、そう思ったかもしれません。でも、解決できなくてもいいのです。

「そういう悩みがあるのですね。大変ですね」と共感してあげるだけで十分なのです。そうした姿勢を来場者は敏感に感じ取ります。「このブースは他のブースと何かちがうなぁ」と思ってもらえるはずです。

「なるほど。これまでのやり方とはかなりちがうアプローチだな。このやり方を社内で徹底させるのはかなり骨が折れる気がするぞ」

そう思ったあなたは、かなりするどい感性の持ち主です。その通りなのです。この「売り込むのではなく、役に立つ情報を提供する」というやり方には、これまで一生懸命にお仕事をしてきた人ほど違和感を持ちがちな方法なのです。

無理もありません。だって、人口が増加していて、需要が供給を上回っていた時代は、お客立ち情報を提供することなんて非効率でムダなことだったのですから。目の前にすでにあなたの商材を欲しい人がいるのですから、いかにわかりやすく手短に自社の商材の良さを伝えるかということが最重要です。

そして、買ってもらったら、さっさと次の商材の話に移るか、次の欲しい人のところに行くというのが、優秀な営業マンだったのです。

ですが、あなたもご存じの通り、そんな時代は、とっくに終わっています。売り手側が買い手のニーズを掘り起こすことこそが重要になった現在では、一旦自社商材から離れて、買い手の悩みに寄り添い、役に立つ情報を提供することが重要なのです。

このアプローチは、実は、展示会に出展する、しないに関わらず、すべての企業にとって必要なことです。しかし、多くの企業が、**この方向転換をスムーズにできずにいます。頭ではわかっていても、心がついていかない**のです。

では、どうすればよいのでしょうか？　実は、この「売り込むのではなく、役に立つ情報を提供する」というマインドチェンジをスムーズに行う方法があります。それは、**展示会出展をきっかけに、出展コンセプトにもとづく「肩書」を新たにつくる**ことです。

「肩書？　部長とか課長とか主任とかそういうやつのこと？」

いえ、そういう役職をあらわすものではありません。**ここで言う肩書とは、自分が何屋さんなのか？　を端的に示す言葉のこと**です。

「何屋さんなのか？」を端的に示す言葉、といっても、ネジ製造業、システム販売業、花屋、清掃業などのように、単に業種をあらわすものになってしまってはいけません。そうではなくて、**『だれに、どのように、役に立つのか』が伝わるようにする**必要があります。

たとえば、前述のオーアンドケーの場合も、肩書を、単に「清掃業」とはしませんでした。オーアンドケーは、プロジェクトメンバーで議論した結果、「介護施設うるおいサポーター」という肩書にしたのです。

介護施設に対して、ノロウィルスやインフルエンザの発生を防ぎ、安心・安全・快適な環境を提供する、という出展コンセプトを体現するわかりやすい言葉として、自分たちを「介護施設うるおいサポーター」と名付けたのです、

そうすると、あるおもしろい変化が起こります。この肩書をつけるということは、「介護施設うるおいサポーター」と自ら名乗ったり、呼ばれたりすることになります。最初は、名乗った時に照れくさかったり、呼ばれ方に違和感を感じたりするでしょうね。

それに「介護施設うるおいサポーター」ですから、そうじのことだけ話をしているわけにはいきません。時にはわからないことを聞かれて焦ることもあるでしょう。でも、そういったことを繰り返すうちに少しずつ慣れてきます。

そして、だんだん、この「介護施設うるおいサポーター」という響きが、自分をあらわす言葉としてしっくりくるようになるのです。そうなればしめたものです

> 手洗いのポイント／うがいのコツ／消毒をする時の注意点／注意喚起のポスターに記載する内容・・・

このような「介護施設うるおいサポーター」としてふさわしい情報提供を自ら進んでおこなっているはずです。

自らの肩書を「介護施設うるおいサポーター」とすることによって、自分自身のセルフイメージが変わっていくのです。肩書は人を育て、変えていくのです。

では、そんな有効な肩書はどのようにして作ればよいのでしょうか？　そのためのポイントは3つあります。

ひとつ目のポイントは文字数です。肩書が長すぎてはいけません。あなたも難解な肩書だと名刺を出されても理解に苦しんでしまいませんか？

具体的には、13文字以内を目安にしてください。わたしたち人間の目と脳は、13文字までなら読むという感覚でなく見るだけで意味を判別できると言われています。あの有名なヤフーニュースの見出しも13文字（成果には13・5文字）です。あなたも**13文字以内の肩書**をつくりましょう。

ふたつ目のポイントは、**「専門領域（+メリット）+一般名称」で考える**ということです。「+メリット」がカッコ付きになっているのは、メリットを加えることよりも、文字数を13文字にすることの方が優先だからです。肩書におけるメリットは文字数が13文字に収まる場合のみ追加しましょう。

専門領域は、出展コンセプトを一言で集約した言葉にします。「展示会で出会いたい相手」の業種や業界名をそのまま記載してもよいかもしれません。オーアンドケーの場合は、この部分が「介護施設」になりました。そして、一般名称は、アドバイザー、サポーター、パートナー、コンサルタント、コーチ、コンシェルジュなどのように専門家をイメージさせる言葉にするとよいでしょう。オーアンドケーの場合は、「サポーター」になりました。

この専門領域 + 一般名称 をつなげた言葉が、文字数13文字に対して余裕がある場合はさらにメリットを加えるとよいでしょう。

オーアンドケーの場合は、「専門領域 + 一般名称」=「介護施設サポーター」とすると9文字になり、まだ6文字余裕があったので、相手方に提供できるメリットを追記することにしました。

メリットは、20年ビジョンの「介護施設の入所者さんやヘルパーさんたちがイキイキと暮らすことをサポートする」を踏まえて「うるおい」としました。そして、「介護施設うるおいサポーター」という肩書が決まったのです。

最後のポイントは、**検証をする**ことです。ポイント1、ポイント2を踏まえて考えた肩書はまだ仮説でしかありません。この肩書が本当に有効なものなのかどうかを検証しましょう。

検証には自社視点での検証と顧客目線での検証の2つがあります。まずは、自社視点で、つくった肩書が、セルフイメージを高め、提供する情報の幅を広げるようなものになっているか？　を検証します。

それをクリアしたら、次に、顧客目線での検証をします。肩書を顧客が聞いた時に、「おっ！うちにとって役に立ちそうだぞ」とか「あっ！なんかもっと詳しく話を聞いてみたい」と思うようなものになっているか？　を検証していきましょう。

ところで、あなたは、石を積む職人の寓話をご存知でしょうか？

ドラッカーが著書『マネジメント』（ダイヤモンド社）で、取り上げているのでご存知の方も多いかもしれませんね。こんなお話です。

旅人が、ある村で建設現場に通りかかりました。旅人はそこにいた職人に、「何をしているのですか？」と聞きました。

すると一人目の職人は、「この仕事で生計を立てているんだよ。食べていくためさ。」と答えました。二人目の職人は、「見れば分かるだろう。石を積んでいるんだ。上手く積むためには技術がいるのさ」と答えました。

旅人は、三人目の職人にも同じ質問をしました。すると三人目の職人は、「わたしは素晴らしい教会を作っていて、おそらくこの場所は多くの人の心の安らぎになるはずです」と答えた。

この寓話は示唆に富んでいます。石を積むという同じ行為でも、自分を何者と捉えるかによって、その意味付けが大きく変わってきます。

自分を、生活のために仕方なく石を積んでいる人間だと考えると、それ以上の発展は全くありません。自分を、石を積むプロフェッショナルと考えると、石を積む技術についての研鑽が進むでしょう。

それはそれで立派なことだと思いますが、さらにもう一歩踏み込みたいのです。

自分を、教会を作るために石を積んでいる人だ、と捉えると、皆が集う教会の土台になるのにふさわしい石の積み方はどのようなものだろう？　と考えるでしょうね。さらには、心に安らぎをもたらす建築設計とはどういうものだろうか、と言うことにまで思いを馳せるかもしれません。

わたしたちの仕事も同じなのです。

自分を何者ととらえるかによって、わたしたちの思考や行動は大きく変わります。しかし、それはセルフイメージを変えることですから、簡単ではありません。

だからこそ、「こうなるぞ」と肩書を通して宣言し、名刺にも記載し、日々名乗ったり、呼ばれたりすることで、自然と自分を研鑽しながら、じわじわとまわりにも浸透させていくことができるのです。

あなたの会社もぜひ、展示会出展をよいきっかけとして、社員さんのセルフイメージを変える肩書を作ってほしいと思います。

２　９割の企業が知らない来場者を惹きつけるたった一つの鉄則！

社員さんのセルフイメージを展示会向けにバージョンアップしたら、次は、展示会の当日、どのように来場者を惹きつけていくのか、について考えていきます。このことを考える時に重要なのは、**来場者の行動パターンを理解すること**です。

来場者は、どのくらいの時間、展示会場に滞在するでしょうか？　一日中滞在する人もいれば、会場を一回りしてすぐ帰る人もいるでしょうね。わたしの感覚値では、４時間程度、展示会場に滞在する来場者が多いように思います。４時間ということは２４０分です。この２４０分を来場者がどのように使っているかを考えてみましょう。

来場者は、実は、２種類に分けることができます。

真剣に自社の業務に役立つ情報を収集しにきている人と、単に遊びに来ている人です。

ここでは、単に遊びに来ている人は考慮せず、真剣に情報収集に来ている人を考えていきましょう。

真剣に情報収集するために展示会に来ている人は、事前に、ＷＥＢなどを確認し、自分が立ち寄るブースをピックアップしています。

ここでピックアップされたブースは多くの場合、知名度の高い大企業のブースです。人によるでしょうが、事前に立ち寄ると決めたブースが5つあるとしましょう。この5つのブースに、平均20分滞在するとしたら、20分×5ブース＝１００分を費やすことになりますね。

そうすると、残り時間は、あとどのくらいでしょうか？　２４０分から１００分をマイナスしますから、残り時間は、１４０分になります。この１４０分間で来場者は展示会場を歩きながら、事前に想定していなかったブースに立ち寄るのです。

こうしたブースに来場者はどのくらい滞在するでしょうか？

長く滞在するブース、チラッと見てすぐ離れるブース、色々でしょうから、平均5分間滞在すると考えましょう。そうすると、来場者は、いくつの想定外ブースに立ち寄ることができるでしょうか？

１４０分÷５分＝28ブース

そうです。**来場者が展示会の当日に展示会場を歩き回りながら突発的に立ち寄るブースは、わずか28個**に過ぎないのです。

この28個のブースにあなたのブースが入っていなければ、**あなたが、いくら費用と労力を費やして展示会に出展しても、その来場者にとってあなたのブースは、存在していないのと同じ**ということになってしまいます。

せっかく、時間と労力とお金を費やして出展したのに、存在していないのと同じになるのはイヤですよね。経営者なら怒り心頭でしょう。

では、どうすれば、そうならずに済むのでしょうか？

そのためには、**問題解決型ブースをつくる**ことです。

展示会場のブースには、実は2種類あります。ひとつは、自己紹介型ブース、もうひとつは、問題解決型ブースです。

自己紹介型ブースとは、文字通り、自社の商材をあれもこれも並べて紹介しているブースです。

一方、**問題解決型ブースとは、来場者が抱えている特定の悩みに対して解決の糸口を提供しているブース**です。

自己紹介型ブースの典型
ブース上段が社名だけでもったいない

出展コンセプトを練り上げずに出展すると、必ず自己紹介型ブースができあがってしまいます。わたしの感覚値では、全体の90％以上が自己紹介型ブースになっています。

しかし、自己紹介型ブースでは成果が出ません。注意喚起のために、典型的な自己紹介型ブースとは、どのようなものかをお伝えしておきます。

典型的な自己紹介型ブースは、ブース上段の最も目立つ部分（この部分のことをパラペットと言います）に、単純に社名を掲げています。

確かに、あなたの会社が天下のソニーならそれでよいのです。ソニーのように、知名度の高い会社なら、社名を掲げているだけで、「最近のソニーはどんな感じなんだろう?」と来場者が立ち寄ってくれるでしょうね。

でも、最も目立つパラペットに「株式会社清永産業」と書いてあったらどうでしょうか?

来場者は立ち寄るかどうか迷う余地もなく通り過ぎてしまうはずです。これでは、もったいないですね。

来場者は、展示会場を歩き回りながら、**ブース上段のパラペットを見て、そのブースに立ち寄るかどうかを直感で判断するのです。**

しかも、判断までに要する時間はわずか3秒です。

多くの方が「たった3秒なの?　もう少し長いんじゃないの?」「またまた、おおげさですね清永さん(笑)」と言ってきますが、本当のことです。データも取っています。

考えてみてください。あなたのブースが通路に面している部分は、何メートルあるでしょうか?　おそらく3メートル、長くても6メートルなのではないでしょうか?

多くの中小企業は、1小間、または2小間で展示会に出展するケースが多いはずです。

ブースを出展する単位を小間と言いますが、1小間＝3メートル×3メートル、2小間＝6メートル×3メートルです。**通路に面している部分は、自ずと3メートルか6メートルになるということです。**

そして、この3メートル、または6メートルを来場者が通過するのに要する時間は何秒くらいでしょうか？

もうおわかりですね。だから、来場者があなたのブースを通過する**このわずか3秒の間にこのブース、「ちょっと面白そうだぞ」と思わせないといけない**のです。

わずか3秒の間に、立ち寄らせないといけないのに、最も目立つパラペットに社名を書いているだけだと成果が出るはずがありません。

自己紹介型ブースではなく、問題解決型ブースにする以外ありえませんね。

では、どのようにすれば、問題解決型ブースをつくることができるのでしょうか？

答えは簡単、自己紹介型ブースの逆をやればよいのです。

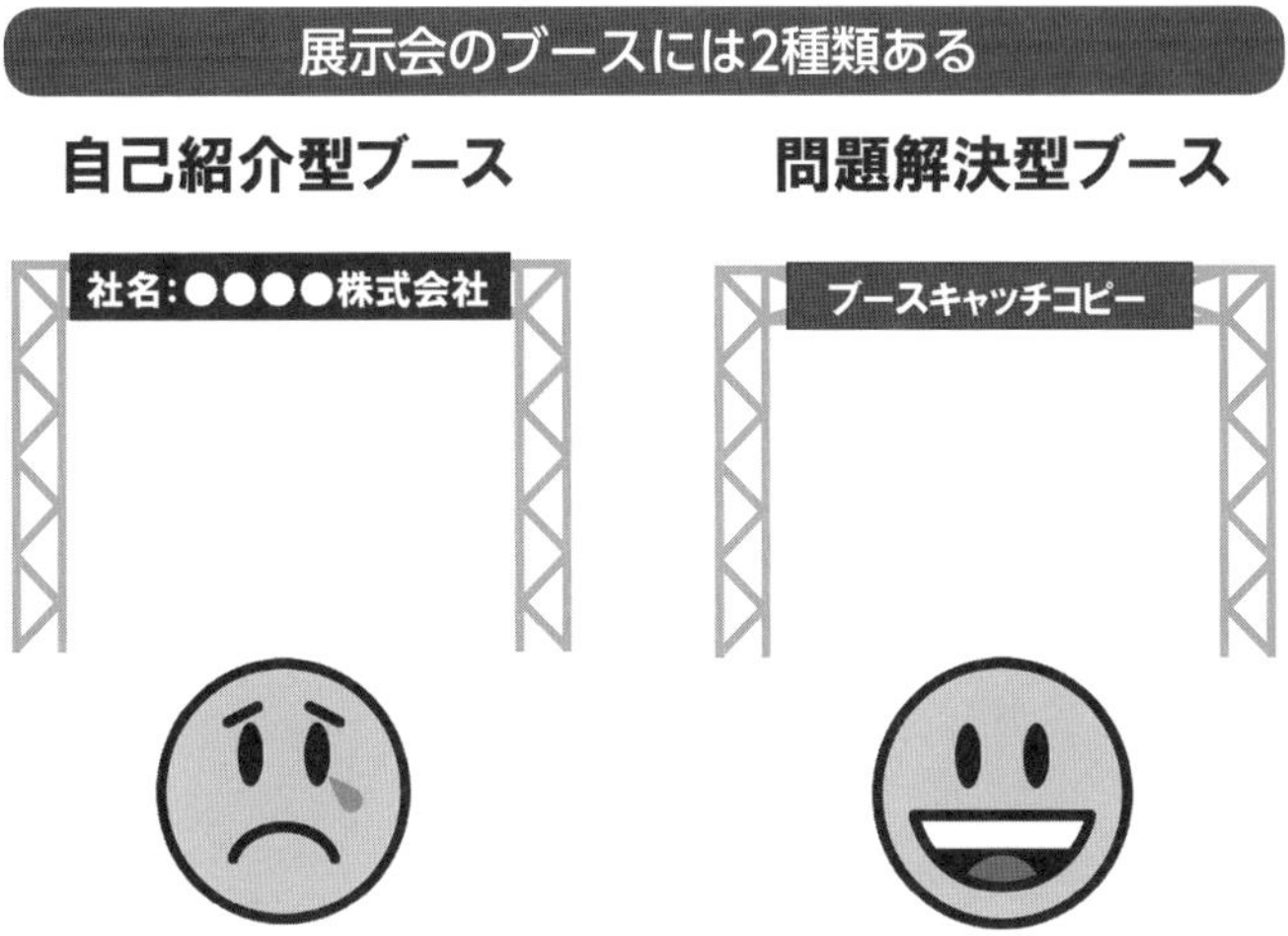

ブース上段の最も目立つ部分に、自社のブースが、「だれのどんな悩みを解決するブースなのか？」を示す言葉を掲げるのです。この言葉のことを、展示会営業®ノウハウでは、**ブースキャッチコピー**と呼んでいます。

出展コンセプトが固まっていれば、どのような言葉を掲げたらよいのか、おおまかにはイメージできるはずです。このイメージを具体化し、来場者に刺さるものにしていきます。

では、どうすれば、来場者に刺さるブースキャッチコピーになるのでしょうか？　このことを考える時に、**とても重要な来場者の特徴**が2つあります。

ひとつは、**「来場者はできるだけブースに立ち寄らないでおこうとしている」**、という点です。そして、もうひとつは、**「来場者は頭が回転せず思考停止している」**、という点です。

なぜ、こんなことになるのでしょうか？　実は、この2つの特徴が発生する原因は、いずれも共通しています。展示会に行ったことがある方は経験があるのではないでしょうか？

展示会に行くと、展示会場に入った瞬間から、四方八方のブースから矢継ぎ早に言葉を浴びせられますよね。

「よろしければ名刺交換させてください！」「どうぞどうぞ！　見ていってください！」

「こんにちは！　うちの商材はいいですよ！」「どうですか？　画期的な機能でしょ！」

程度の差はありますが、多くの展示会がこうなっています。

最初の内は、「活気があっていいなぁ」と思うかもしれませんね。でも、それがずっと続くとどうでしょうか？「うざいなぁ」「うるさいなぁ」「落ち着いて情報収集できないなぁ」と感じますよね・・・。

そして**誰もが、「めんどくさいなぁ。売り込まれたらイヤだし、できるだけブースに**

立ち寄らないようにしよう」と思うようになるはずです。

そういう心境で展示会場を歩き続けていると、何が見えても何が聞こえても、気に留めずスルーするようになります。こうして、**思考停止状態の来場者ができあがる**のです。

このように、「できるだけブースに立ち寄らないでおこう」としていて、「頭が回転せず思考停止している」来場者に対して、**「おっ！　ここいいね！」「これは立ち寄る価値があるな！」と思わせる**ブースキャッチコピーをつくらないといけないのです。こう書くと**至難の業に思える**かもしれません。

でも、安心してください。ポイントを押さえて考えていけば、**あなたも必ず来場者の心に刺さるブースキャッチコピーをつくることができます。**

ブースキャッチコピーをつくる時の**一番のポイントは、ずばりインパクト**です。たった3秒で、思考停止状態の来場者の足を止めないといけないのですから、とにかくインパクトを出すことを考えましょう。

そのためには、次の3つのポイントを押さえることが重要です。

『ブースキャッチコピー3つのポイント』

1. メリット提示
2. 具体性
3. TO ME メッセージ

それでは、ひとつずつ見ていきましょう。

◆ブースキャッチコピーのポイント1「メリット提示」

あなたも、自分や自社に「メリットがある！」と感じる何かに出会うと無視できなくなるのではないでしょうか？

その心理を活用し、ブースキャッチコピーにメリットを組み込みます。

メリットの手がかりは、出展コンセプト検討シートの、右上：「展示会で出会いたい人が心の中でつぶやいている悩みは？」や右下：「あっ！だったらうちが（こんな風に）役に立てますよ」の中にあるはずです。

そういう目で出展コンセプト検討シートを見返してみましょう。

ブースキャッチコピーに組み込むべきメリットの正体とは？

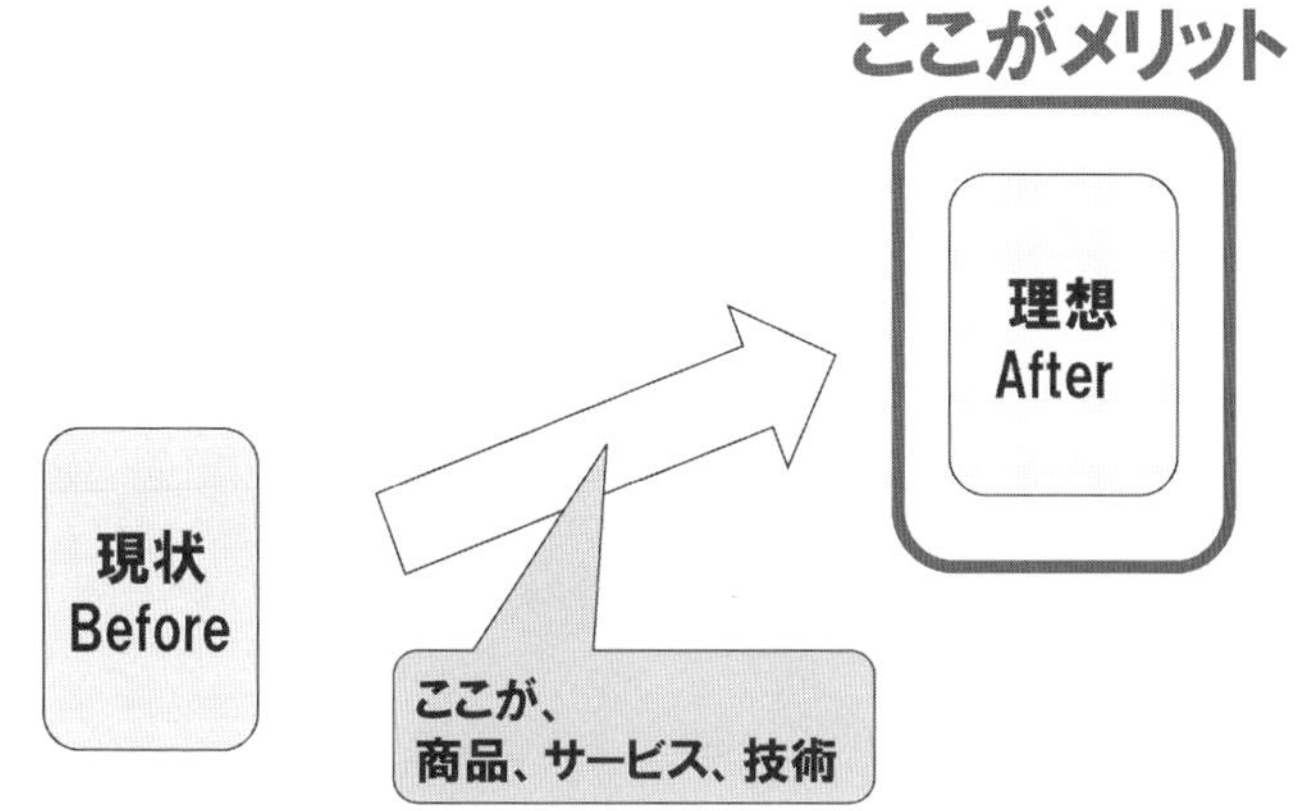

そこからさらに深掘りして、具体的にメリットを考えていきます。そもそも、メリットとはいったい何なのでしょうか？

このことを考える時には、あなたの会社の商品、サービスや技術を購入する前の状態（ビフォー）と後の状態（アフター）をイメージしてみてほしいのです。

あなたの会社の商品、サービス、技術を購入することで、顧客の何かがよくなるはずです。このよくなった状態（アフター）がまさにメリットなのです。

顧客の状態をアフターに導くのは、あなたの会社の商品、サービス、技術です。

わたしはこれまで数多くの企業のブースキャッチコピーの作成をサポートしましたが、多くの人がブースキャッチコピーに、自社の商品、サービス、技術のスペックや特徴を書こうとします。

自社の商品、サービス、技術について熟知していますし、愛着もあるでしょうから、そうなるのは、ある意味仕方がないことかもしれません。

しかし、**商材の特徴、性能、スペックはメリットではありません。**これらは、顧客をビフォーからアフターに導くための手段なのです。**来場者は、手段には興味がありません。自分や自社がどうなれるのかに興味があるのです。**「こうなれる！」ということに興味を持った後、そこで初めて、「どうやったらなれるのだろうか？」と手段に興味を持つのです。

だからこそ、出展商材の特徴、性能、スペックではなく、メリットを提示すべきなのです。

でも、このメリットを提示することがなかなかむずかしいのです。

ここでひとつ例を挙げます。あなたが展示会で出展する商材が、「氷のお皿をつくる装置」だったとしましょう。この装置、なかなか魅力的ですよね。

飲食店の厨房にもともとある製氷機の氷をこの装置に投入し、レバーを引くと氷のお皿ができあがります。しかも、この氷のお皿は3時間溶けません。

例題：氷のお皿をつくる装置のメリットは？

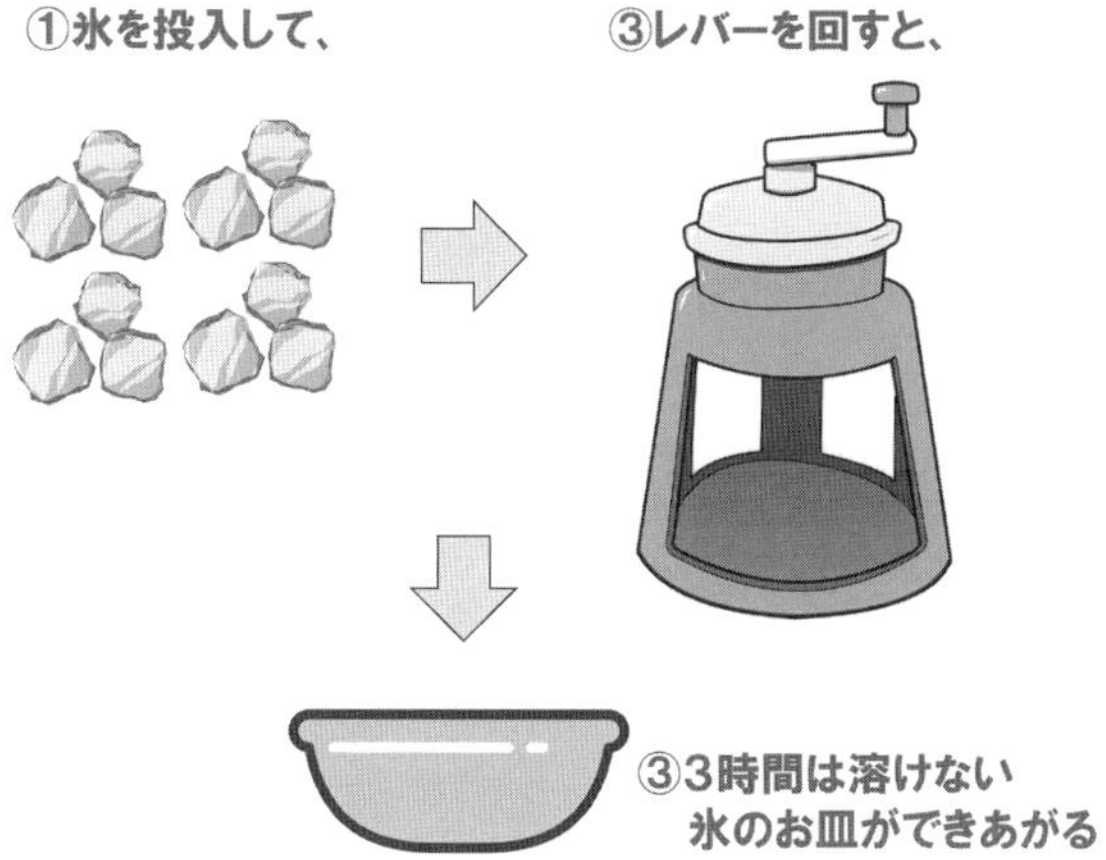

さぁ、この装置のメリットは何でしょうか？　少し考えてみてください。

答えは、『3時間溶けない本物の氷のお皿を簡単につくれること』。
ではありません。それでは、この装置の特徴を言っているにすぎないのです。

本当のこの装置のメリットは何なのでしょうか？　もう一度よく考えてみましょう。

メリットを考える時のコツは、自分だけ、自社だけで考え過ぎないことです。なぜなら、**メリットは、顧客側で生じる「よくなった状態」のこと**だからです。

その状態を最もよく知っているのは顧客ですから、**顧客に聞きに行けばよい**のです。

既存客に、「うちの商材を導入して、何かよくなったことってありますか？」とストレートに聞いてしまいましょう。例に挙げたこの装置の場合だと、どのような回答が出てくるでしょうか？

さまざまな回答があるでしょうが、ある和食のお店の経営者から、「原材料も調理方法も盛り付けも何も変更していないのに、**このお皿に乗せてお刺身を出すようにした、ただそれだけで単価を大幅にアップすることができたよ**」という回答が出てくるかもしれません。

そうだとしたら、この装置のメリットは、『**メニューの単価を大幅にアップできる（可能性がある）こと**』ということになります。

『3時間溶けない本物の氷のお皿を簡単につくれること』

『メニューの単価を大幅にアップできる（可能性がある）こと』

この2つだと、どちらの方が来場者の心に刺さるか答えは明白ですね。

くれぐれもメリットを「3時間溶けない本物の氷のお皿を簡単につくれること」のような、特徴、スペック、性能と混同しないように注意してください。

「でも、来場者もバカじゃないんだから、『3時間溶けない本物の氷のお皿を簡単につくれる』とブースキャッチコピーに書いておけば、『このお皿でお刺身を出したら単価を上げることができるかもしれないぞ』と気づくんじゃないのかな？」

こんな風に考える方もいるでしょうが、確かにその通りなのです。

見込み客も平常時、通常のコンディションなら、商材の特徴、スペック、性能によって、自分や自社にどんなよいことがもたらされるか、を考えることができるでしょう。

でも、思い出してください。展示会場では、**「来場者は頭が回転せず思考停止している」**のです。普通なら少し考えればわかるようなことでも、展示会場では思考停止状態になっていますから、決して気づいてはくれません。

だからこそ、**メリットをズバっと言い切る必要がある**のです。

◆ブースキャッチコピーのポイント2「具体性」

ブースキャッチコピーづくりのポイントの2つ目は具体性です。

人は、具体的であればあるほど、惹きつけられます。だから、ブースキャッチコピーも具体的にすることを考えましょう。では、どのようにすれば具体的になるのでしょうか？

それは、**ブースキャッチコピーの中に数字を組み込む**ことです。
たとえば、前述の氷のお皿をつくる装置の場合でも、どちらの方が目を引くでしょうか？

『メニューの単価を大幅アップできます』
『メニューの単価を13倍にアップできます』

明らかに後者ですね。このようにキャッチコピーの中に数字を含めるということを考えましょう。

また、数字を組み込む時の切り口は、大きく3つあります。
ひとつ目は、『数量』という切り口です。「累積１２００件の実績」とか「リピート率83％」などがこれに当たります。「単価を13倍にできます」というのも、数量の切り口ですね。

続いて**ふたつ目は、『時間』**です。「たった90日で・・・」とか「35年の実績」など、時間を切り口にできないか考えてみましょう。
『数量』や『時間』を切り口とした数値化のヒントは、出展コンセプト検討シートの左下：「ホント?って思うでしょ。裏付けはね・・・」のところにあるかもしれません。探してみてください。

一方で、『数量』でも『時間』でも数字を組み込むことがむずかしい、という方もいるかもしれません。そういう方も安心してください。それが**三つ目の切り口『要点』**です。

たとえば、「・・・な3つの秘訣」、「・・・する5つの鉄則」などのように要点を数字で示すのです。あなたも考えてみてください。

◆ブースキャッチコピーのポイント3「TO　ME　メッセージ」

3つ目のポイントは、TO　ME　メッセージです。

TO　ME　メッセージとは、読んで字のごとく、だれに来てほしいブースなのかを、ブースキャッチコピーにズバリ書く、というものです。

ここでまた前述の氷のお皿をつくる装置を例にしましょう。

『メニューの単価を13倍にできます』

このように単純に数字をあげてもインパクトありません。

『和食のお店の経営者さん　必見！　メニューの単価を13倍にアップできます』

こうするとなんだか「おおっ!?」と足を止めたくなりませんか？

「そこまで細かく書かなくても、『あ！　これはうちの役に立つ』と認識してくれるんじゃないの？」

あなたはそう思ったかもしれませんね。でも、油断は禁物です。

展示会場では、「来場者は頭が回転せず思考停止している」ことをお忘れなく！

相手の思考に期待せず、ズバリ、相手を呼び掛ける文字を掲げる必要があるのです。

でも、分解していくと「TO　ME　メッセージ」はむずかしくありません。

基本的には、出展コンセプト検討シートの左上：「展示会で出会いたい相手は？」に記載した内容をそのままブースに掲げればよいだけです。

ただし、ひとつ注意点があります。それは、**相手が呼びかけてほしい言葉に変換する**、という点です。

わかりやすい例を挙げます。ある経営コンサルタントが展示会に出展しました。彼の出展商材は資金繰り改善コンサルティングです。ですから、彼が展示会で出会いたい相手は、ずばり、「資金繰りに困っている社長」です。

でも、これをそのまま、ブースキャッチコピーに掲げるとどうなるでしょうか？

間違いなく人が全く来ない閑古鳥が鳴くブースになってしまうはずです。

なぜなら、**「資金繰りに困っている社長　必見！」というキャッチコピーのブースに立ち寄るという行為は、自社が資金繰りに困っていることを白状するようなもの**だからです。

当たり前のことですが「資金繰りに困っている社長」ということは人に知られたくありません。知られてしまうと得意先や仕入れ先から信用不安が起こりかねないからです。**そもそも格好悪い！**

こうして、だれも寄り付かないブースの完成です・・・。

こういうケースでは、相手がその呼び掛けに応じやすくなる表現に変更（変換）しましょう。

たとえば、「本業に専念したい社長のための」などと書き換えることができるでしょう。あなたも、相手が呼びかけてほしい表現にするということに注意して、ブースキャッチコピーにTO　ME　メッセージを組み込みましょう。

ブースキャッチコピーの文言が完成したら、**タペストリーにデザインと共に文言を記載する**とよいでしょう。

タペストリーとは布状の横断幕のことです。必ずタペストリーでないといけないわけではないのですが、パネルとちがって**くるくると巻いて会場へのスムーズな持ち込みや保管がしやすいですし、痛みにくい上、比較的安価に製作ができる**のでお奨めです。

デザインは、凝りすぎる必要はないですが、来場者がつい見てしまうようなアイキャッチ効果があるとベストです。

アイキャッチの工夫のひとつとして、**ブースキャッチコピーの左側、文頭に人の写真を入れる**という方法があります。

人間の脳には、瞬間的に「顔」に注目し、無意識のうちに目で追ってしまう働きがあると言われています。脳のこの働きを活用することで、あなたのブースキャッチコピーの視認率を高めることができます。

この法則をうまく使った出展事例をご紹介します。

ブースキャッチコピーに自社社員の顔を入れることで、来場者の視認率を高めつつ、社員のモチベーションを上げる

わたしの展示会営業®コンサルティング研修を受講された無線機器販売の株式会社テレコムさんは、ブースキャッチコピーの視認率を高めるために、ブースキャッチコピーのタペストリーに人間の顔を入れることにしました。

その時の実際のブースの写真です。

そして「どうせなら」と、**自社の社員さんの顔を撮影して、ブースキャッチコピーの文頭に掲げる**ことにしたのです。

この結果、ブースキャッチコピーの視認率が高まったことはもちろん**「自分たち自身で考え、つくり出したブースなのだ」という意識になり、社員さんたちのモチベーションが高まる**という副次的効果も出たのです。

3 3連発！ ナマ事例！ ブースキャッチコピーを大公開！

ブースキャッチコピーをつくり込む際の参考になるように、わたしが展示会営業®コンサルティング研修でご支援させていただいた企業による、実際のブースキャッチコピーのナマ事例を3つご紹介していきます。

業種がちがっていても学びを得ることができるはずです。ぜひリアルな成功例を参考にして、来場者を惹きつけるブースキャッチコピーをつくってほしいと思います。

まずは、紙袋製造販売のエス・ユニット株式会社が販促ＥＸＰＯに出展した時のブースキャッチコピー事例です。

> **小ロット紙袋販売量日本一!!　オリジナル紙袋を作成する方　必見！　納品まで丸投げ！　１００枚からＯＫ！　宣伝効果ＵＰ！**

メリット提示は、「納品まで丸投げ！　１００枚からＯＫ！　宣伝効果ＵＰ！」です。

具体性は「１００枚」となっています。

小ロット紙袋販売量日本一!! オリジナル紙袋を作成する方必見！
納品まで丸投げ！100枚からOK！宣伝効果UP！（紙袋製造販売）

TO ME メッセージは「オリジナル紙袋を作成する方　必見！」です。

また、このブースキャッチコピーでは、「小ロット紙袋販売量日本一！」というフレーズがあります。この「日本一」に代表されるNO．1というのはとても効果的です。

「なぜこのブースに立ち寄らないといけないのですか？」という問いに対して「NO．1だからです！」と即答することができます。わかりやすいですね。

あなたの会社もなにかの1位やNO．1とアピールする箇所を探してみてください。

こう言うと、多くの人は、「よし！　これから努力してNO．1になろう！」と考えます。でもここで言いたいのはそういうことではないのです。**努力して今からNO．1になるのではなく、今すでにNO．1と言える何かがないかを探してほしい**のです。

たとえば、あなたの会社が奈良にあるなら、日本一はムリでも、関西一ならどうでしょうか？　関西一が無理？　奈良県一位なら？　町内一位なら・・・こうやって深掘りしていくとどこかで何かのNO．1に該当するはずです！

また、今は地域で考えましたが、同じように、業種別、業態別、カテゴリー別、悩み別、などのように、自社がNO．1と言える土俵を探しましょう。

実はエス・ユニットさんも、紙袋販売量自体がNO．1なのではありません。**小ロット紙袋という自社が勝てる土俵を自らつくり出して**、その上でNO．1と標榜しているのです。あなたもどういう土俵ならNO．1と表明できるかを真剣に考えてみてください。

続いてこちらのブースキャッチコピー例をご覧ください。

そんなエンジン修理もったいない！　ホンモノの旧車乗りへ！　たった一度の施行で23倍の安心感

そんなエンジン修理もったいない！ホンモノの旧車乗りへ！ たった一度の施工で23倍の安心感（バイクエンジン等再生）

これは、旧車バイクの内燃機の加工を行う株式会社井上ボーリングさんが東京モーターサイクルショーに出展した時のブースです。

メリット提示は、「たった一度の施工で23倍の安心感」、具体性は、「23倍」、TO ME メッセージは、「ホンモノの旧車乗りへ」です。

さらに、**「そんなエンジン修理もったいない」**という言葉を赤色の背景に白抜き文字で目立つように入れています。

これは、この商材を買わなかった時のデメリットを提示して来場者の痛みに訴求することで、来場者をドキッとさせることを狙っています。ただし、痛みに訴求するだけだと、来場者の気分を害してしまい、話を聞いてもらえなくなる危険性もありますね。

そこで、**「ホンモノの旧車乗りへ」というＴＯ　ＭＥ　メッセージ**で、バイク好きの来場者の心をくすぐり、さらに、**「たった一度の施工で23倍の安心感」という具体的なメリット**を提示することで、来場者に話を聞いてみようと思わせているのです。

このように、**痛み訴求と快楽訴求のバランスを取る**ことも考えてみてください。

さらに、このキャッチコピーにはもうひとつ論点があります。それは「23倍」という数字についてです。この点については、「どういう算出をすればよいのだろう?」とむずかしく考えすぎる必要はありません。

あなたの商材によってもたらされた顧客側の成果を調べてみましょう。そしてその中から、明確に数値化できる事例やもっとも成果が出たケースを数字としてキャッチコピーの中に組み込むとよいでしょう。

さて、最後の3つ目のナマ事例はこちらです。これは、株式会社アームズ・エディションさんが、リフォーム産業フェアに出展した時のブースです。

YouTube×LINE　0円受注応援団

YouTube × LINE　0円受注応援団（経営コンサルティング）

メリット提示は、「0円受注」、具体性は「0円」です。ＴＯ　ＭＥ　メッセージはありません。

「え？　ＴＯ　ＭＥ　メッセージはあった方がいいんじゃないの？」

あなたは、こう思ったかもしれません。

確かにＴＯ　ＭＥ　メッセージは重要です。でも、場合によっては、必要ないケースもあるのです。まさに、このケースがそれにあたります。アームズ・エディションさんの出展商材は、ブースキャッチコピーの通り、ＹｏｕＴｕｂｅやＬＩＮＥを活用して費用をかけずに受注する方法を教えます、というものです。

リフォーム産業フェアには、リフォーム業者、工務店、ハウスメーカー、設計会社、不動産オーナーなどさまざまな業種の人が訪れます。これらの人はすべてこの商材の顧客、または顧客を紹介してくれる間接顧客になり得ます。

だから、あえて、ＴＯ　ＭＥ　メッセージを記載しない、という方法を取ったのです。**出展商材のターゲットと来場者属性によっては、このようにあえて「ＴＯ　ＭＥメッセージ」を記載しない、というやり方もあり得る**ということを頭に留めておいてください。

このブースにはポイントがさらにふたつあります。

ひとつ目は、「ＹｏｕＴｕｂｅ × ＬＩＮＥ」というツール名を大きく打ち出している点です。ＹｏｕＴｕｂｅやＬＩＮＥというのは手段です。

ブースキャッチコピーの鉄則は、「手段ではなくメリットを書くこと」ですから、本来、「ＹｏｕＴｕｂｅ × ＬＩＮＥ」を大きく書くのはＮＧです。

ですが、例外もあります。それは、その手段が魅力的なものだと来場者にすでに認識されている場合です。**その手段が来場者に魅力的なものだと認識されているなら、むしろ、ズバっと手段を打ち出した方が反応が高く**なるケースがあるのです。

今回がまさにこのケースです。リフォーム産業フェアの来場者であるリフォーム業者は、すでに「「ＹｏｕＴｕｂｅ」や「ＬＩＮＥ」をビジネスに活用したいと思っていて、でもその効果的な活用方法はまだ知らない、という状況なのです。このような場合は、あえて手段を大きく打ち出す方が効果的になるのです。

このブースのポイントの2つ目は、ユニフォームです。ブースキャッチコピーが大きく記載されたのぼりと、スタッフのはっぴが、まったく同じ模様になっています。富士山から朝日が昇る模様、これが非常に効果的なのです。**来場者は、ブースのことを視覚的に記憶します。**このブースなら、後日、来場者と接触する時に「富士山から朝日が昇るのぼりとはっぴのブースです」と言えば、かなりの高確率で思い出してもらえるはずです。あなたも、来場者の記憶に視覚的に残るブースやユニフォームを考えてみてほしいと思います。

代表取締役の菅谷信一氏によると、株式会社アームズ・エディションさんは、この作戦によって悪立地にも関わらず、５３０枚の濃い有効名刺を獲得したとのことです。

このように大きな成果を出したブースの当日の模様をわたしが解説付きでわかりやすく動画でお伝えしています。
こちら　https://tenjikaieigyo.com/arms_edition/　からご覧になって参考にしてください。

4 来場者を正気に戻し、記憶に残るブースをつくる体験アトラクション！

さて、ブースキャッチコピーで来場者を惹きつけたら、次はどうすればよいのでしょうか？

せっかくあなたのブースに興味を持ってくれたのです。いきなり売り込みをしてはいけません。そんなことをするとせっかくあなたのブースに興味を持った来場者も一瞬で立ち去ってしまいます。

答えは、**「体験アトラクションに参加してもらう」こと**です。あなたの商品・サービスの良さが伝わるような体験やアトラクションをつくって来場者に参加してもらいましょう。

「体験アトラクションと言われてもよくわからない・・・」

そう思った方も大丈夫です。実例を挙げてわかりやすくお伝えしますので、安心してください。

こちらの写真をご覧ください。これは、チップソー（丸のこぎりの先に超硬チップが付いたもの）を製造販売している株式会社オリオン工具製作所さんがブースで行った体験アトラクションです。

オリオン工具製作所の体験アトラクション

ブースの軒先に、2つのチップソーが吊り下げられています（安全のため刃は付けていません）。ひとつは、ある加工を施した新開発品、もうひとつは一般のものです。上段に、「たたいて〝振動と音〟の違いを確かめてみてください」と書いてありますね。実際叩くとどうなるのでしょうか？

一般のチップソーを叩くと、「ボ～ン」と大きな音が反響します。しかし、オリオン工具製作所の新開発チップソーを叩いても、「コツン」っと打撃音がするだけで大きな音は出ません。

その理由は、オリオン工具製作所の新開発チップソーは、一般のモノと比べて**「叩いてもあまり振動しない**からです。振動が少ないから、反響せず大きな音が出ないのです。

これは、**新開発のチップソーは、揺れなどの外部からの刺激があっても切断面がキレイに仕上がることを暗に意味**しているのです。

単に、「当社のチップソーは外部からの刺激に強く切断面がキレイに仕上がります！」と口頭で説明だけの場合と、実際に叩いてみて、音のちがいを体感して、来場者が「なぜ音がこんなにもちがうのだろう？」という疑問を抱いた上で、「外部からの刺激があっても振動しにくいのですよ。だから切断面がキレイに仕上がるんです！」と伝えるのとだと、どちらの方が、来場者の記憶に残りやすいでしょうか？　答えは明白ですね。

自らちがいを体感し「なぜだろう？」と疑問を持った後なら、来場者は素直に話を聞いてくれるのです。その状態なら、「だから切断面がキレイに仕上がるんです。」と伝えた後に、「なぜこれを実現できるかと言うと・・・」と話を続けることによって技術的な少し難しい話でも聞いてくれるでしょう。これが、体験アトラクションの力なのです。

それと単純ながら**「大きな音がする」という点もこの体験アトラクションの重要ポイント**です。

なぜなら、**ブースから大きな音がすると、周辺にいる来場者は、思わず音が鳴っている方向を見る**からです。ブースが目に入ると、「何か面白そうなことをやっているぞ。ちょっとのぞいてみよう。」と考え、ひとり、ふたりと人が立ち止り始めます。こうして人が集まって来れば、**行列が行列を生む好循環が生まれ、人だかりができる**のです。

前述のとおり、**「できるだけブースに立ち寄らないでおこうとしている」思考停止の来場者すら「ん？　なんか鳴ったぞ？」と、自社ブースに惹きつける**ことができるのです。

同様の効果を得るために、**体験アトラクションの様子をマイクで実況中継する**というのも有効な手法です。

トラストの体験アトラクション（クイズ形式）

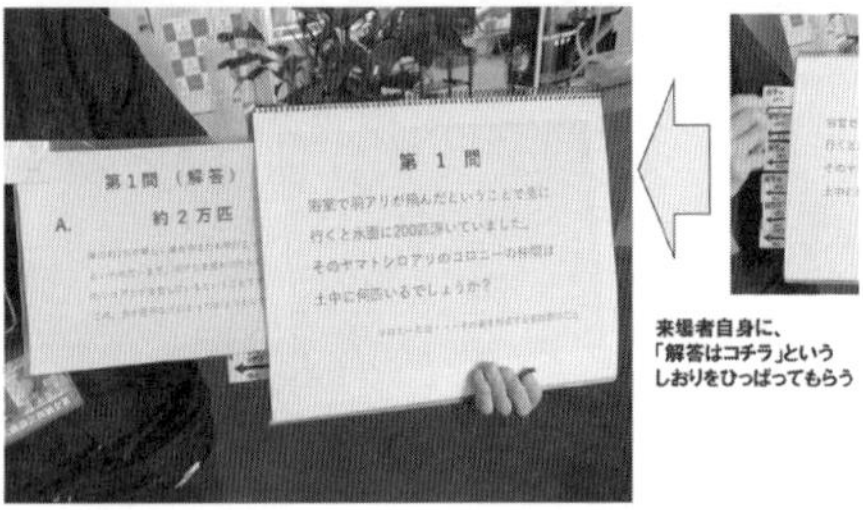

来場者自身に、「解答はコチラ」というしおりをひっぱってもらう

「体験アトラクションかぁ。うちの商材だとどうやればいいんだろう・・・むずかしいなぁ」そう思う方もいるでしょう。そんな方も安心してください。**どんな商品、サービスでも取り入れやすい体験アトラクション**があります。

それは、**「クイズ形式にする」**という方法です。例で説明します。

この写真をご覧ください。これは、シロアリ駆除・防除の株式会社トラストさんが行ったクイズ形式の体験アトラクションです。

第一問

浴室で羽アリが飛んだということで見に行くと水面に２００匹浮いていました。

そのヤマトシロアリのコロニーの仲間は土中に何匹いるでしょうか？

画用紙にこのように書かれています。むずかしい問題で見当もつかないですね。でも、クイズとして出題されたら、反射的に考えてしまいませんか？

ここからの工夫も秀逸です。単に回答を口頭で伝えるだけだと体験アトラクションとして面白味に欠けますね。そこで、来場者自身に、正解をひっぱり出してもらう、という参加型にしたのです。

この写真のように、「解答はコチラ」というしおりを来場者自身にひっぱってもらうと、正解があらわれるのです。

貼られたシールをひっぱっていくと、2万匹、という文字が現れます。

「くっそ〜。残念。そんなに多いのかっ！」

来場者は、熱くなって悔しがるかもしれません。**こうした感情が動いた経験は記憶として鮮明に残ります。**このようにして、さまざまなブースを見て回る来場者の記憶に自社のブースを記憶に残すのです。

「でもホントに2万匹もいるんですか?」中には、こんな風に質問してくる来場者がいるかもしれません。こうなればしめたものです。

「そうなんです。なんで2万匹もいるかと言いますと・・・」

と会話を続けていけばよいのです。こうした内容の会話は、出展社の専門性をアピールすることになりますし、自然と出展商材の話につながっていくはずです。

「頭が回転せず思考停止している」来場者もクイズとなると興味を沸いてくれます。彼らを思考停止状態から正気に戻すために体験アトラクションは非常に有効です。

さて、最後に効果的な体験アトラクションを考える視点をまとめておきます。
次の6つになります。

・視点1　来場者の身体を動かさせることはできないだろうか？
・視点2　来場者を驚かせることはできないだろうか？
・視点3　何かと比べることはできないだろうか？
・視点4　たとえたり、置き換えたりすることはできないだろうか？
・視点5　クイズ形式にすることはできないだろうか？
・視点6　それを実況中継できないだろうか？

展示会を演劇にたとえると、ブースは舞台です。スタッフは役者で、来場者は観客です。
そしてこの演劇は、時には観客も舞台に上がる参加型タイプのものです。どのような舞台装置にすれば、役者であるスタッフが演じやすく、観客である来場者の印象に残り好評を博するかを、あなたも脚本家として考えてみてほしいと思います。

成果の出る展示ブースをつくるためには、成果を出している展示ブースをたくさん見ることが重要です。

「そんなこと言ったって、忙しくてそんなに頻繁に展示会場に行けないよ・・・」

あなたのそんな心の声が聞こえてきそうです。

でも、安心してください。そんなあなたのために、**キラリと光って大成功している展示ブースや、思考停止の方が目を輝かせる瞬間を、わたしが実際の展示会に出向いて解説付きで撮影した動画をまとめたYouTubeチャンネルを運営しています。**

今後も随時、動画を追加していきますので、以下のＵＲＬまたは、ＱＲコードからチャンネル登録をしておいてください。

http://urx.space/XwyS

5 展示会では、自社の想いや志を発信する

この章ではここまで、展示会で成果を出すためにはどうしたらよいのか?という観点から、展示会当日の戦略・戦術について考えてきました。

具体的には、来場者の足を止めさせるブースキャッチコピー、自社のブースを来場者の記憶に残す体験アトラクション、効果的なブースの色や照明についてお伝えしました。

そして、もうひとつあなたにぜひ取り組んでほしいことがあります。それは、**展示会の当日、ブースで、「自社の想いや志を来場者に向けて発信する」、ということ**です。**想いや志は、「あなたの会社の出展商材がもたらす明るい未来」**と言い換えてもよいでしょう。

明るい未来は、個別顧客に対して提供するメリットというよりも、世の中全体に与えるよいインパクトを発信する方が効果的です。

「必ず実現する」ということをコミットするような発信ではなく、「こういう未来の

実現を目指して取り組んでいきます」という宣言をするイメージです。

ですから、3年、5年というような短期間ではなく、10年後、20年後という時間軸がよいです。第2章でお伝えした**20年ビジョンをブースで来場者に向けて発信する**のです。

たとえば、前述の介護施設にノロウィルスの発生を防ぐ清掃と提供するオーアンドケーなら以下のような内容が考えられます。

「わたしたちは、日本全国の介護施設からノロウイルスの発生を撲滅することを目指します。そこで働く介護施設の入所者さん、ヘルパーさんたちがイキイキ明るく暮らすことをサポートします。そうすることが、日本を元気にすると信じています！」

このように、展示会のブースで**「自社の想いや志を来場者に向けて発信する」ことを、展示会営業®ノウハウでは、志プレゼン**と呼んでいます。

志プレゼンの意図は3つあります。ひとつ目は、展示会場のその場で売れることはないからです。展示会場のその場で商談が成立することはないのですから、価格や納期などの細かい取引条件は後日、再度お会いした際に詳しく伝えればよいのです。

ふたつ目の理由は、来場者は価格や納期についての情報を他のブースでもさんざん聞かされているからです。

来場者は、どの情報がどのブースの話だったかを覚えておけないほど混乱しています。そんな中で、あなたも、他のブースと同じように、価格や納期情報を伝えても意味がありません。それよりも志や熱い想いを伝えて、あなたの会社を来場者の記憶に残しましょう。

そして3つ目の理由。これが最も重要なのですが、**「自社が実現したい未来」を発信すると、来場者が応援してくれる可能性があるから**です。人は、「何かを目指して一生懸命にがんばっている人」を見ると自然とその人を応援したくなるという傾向があります。心理学では、この傾向を「アンダードッグ効果」と呼ばれています。

「何も展示会で伝えなくても商談の際にでもゆっくり話せばいいじゃないか！」

あなたはそう思ったかもしれません。でも、それはやりにくいのです。なぜなら見込み客は、一体一の個別商談の場では、**何十年も先に目指していることを熱く語られるよりも、その商材がもたらすメリットや価格、納期や取引条件などの詳細を聞きた**

志プレゼンで来場者に応援される会社になる

がることが多いからです。

一方、自分以外にも多数の聞き手がいる一対多の場である展示会でなら、「自社が実現したい未来」をスムーズに伝えることができるのです。

ぜひ、一対多で不当的多数の来場者に聞いてもらうことを前提に、モニターに映像や画像を映しながらマイクで熱く「志プレゼン」を来場者に語りかけていってください。

この際、**プレゼンターは、プロのナレーターやコンパニオンに任せるのではなく、社長、幹部社員さんや若手社員さんが務める**方がよいです。上手く語るのではなく、下手でもよいので一生懸命に心を動かすプレゼンをしてほしいと思います。

では、志プレゼンはどのようにつくり、どのように伝えればよいのでしょうか？

まず文字数ですが、**志プレゼンは８００文字程度にまとめ**ましょう。

そして、効果的に志プレゼンを行うにはふたつのコツがあります。

ひとつめのコツは、対比構造にするということです。前述の通り、「来場者は頭が回転せず思考停止している」のですからわかりやすく伝える必要があります。そのための有効な方法が「対比で伝える」というやり方です。

具体的には、**あなたの会社が実現したい未来を語るだけでなく、その未来の対極にある真逆の状況をセットにして描写します。**そうすることによって、思考停止している来場者にも伝えやすくなります。

「対比かぁ。なんとなくはわかったけど、具体的にどうやればいいんだろう？」

そう思ったあなたのために、実例をお伝えします。実は、わたしも、セミナーや講演の際に、志プレゼンを行っています。それは、次のような内容です。

今までの営業は、堅い、真面目。

展示会営業®は、楽しい。喜怒哀楽豊かな人気者になっていきます。

今までの営業は、「仕事でやらないといけない」から売りに行く。

展示会営業®は、「知ってほしい！」からストーリーにして伝える。

今までの営業は、お客さんと対立する。

展示会営業®は、お客さんと共通の目標像を目指す同志になる。

（中略）

今までの営業は、とにかく頑張る。努力が大事。

展示会営業®は、努力とやり方の掛け算。

今までの営業は、お客さんは神様。

展示会営業®は、「お客さんだって生身の人間なんだ。だから悩みも間違いもある。そんな愛すべきお客さんとともに、明るい未来を目指す同志になろう。自社とお客さんは対等。見下す関係でなく、お互いが尊重し合える関係なんだ」と考える。

展示会は、中小企業が、自社の想いや志を世の中に高らかに宣言するために最適な場です。

展示会営業®で、愛と喜びに満ちた社会へ

いかがでしょうか？「展示会営業®」と「今までの営業」とが対比になっていることをお分かりいただけたと思います。

さて、**ふたつ目のコツは、「音楽に乗せて語ること」**です。

来場者の「応援したい」という気持ちを引き出すためのキーワードは「一生懸命」

です。人は、一生懸命な人を見ると自然と応援したくなるのです。

実は、この「一生懸命」ということを表現するのがなかなかむずかしいのです。そのための簡単かつ有効な手段が音楽に乗せて伝えるという方法なのです。


「音楽に乗せて伝えるってどういうことなんだ?」

これは多くの方が思われたことかと思います。これも、実例があった方がわかりやすいですよね。わたしが行っている志プレゼンの動画をご紹介しますのでご覧ください。


〈志プレゼンの例〉売りたい商材が展示会営業®コンサルティング研修の場合

https://tenjikaieigyo.com/kokorozashipresen/

どうでしょうか? ちょっとお見苦しい姿でしたが、音楽に乗せて想いや志を語る効果をイメージしていただけたのではないでしょうか?

この音楽に乗せて伝えるという手法にはエンタメプレゼンという技術を活用しています。エンタメプレゼンとは、株式会社インタメプロダクションの渋谷文武社長が考案したメソッドです。

わたし自身の志プレゼンでもお伝えしている通り、**わたしは、展示会は、中小企業が自社の想いや志を世の中に堂々と発信する最高の場だと信じています。**

あなたもぜひ、実現したい未来に対する熱い想いを志プレゼンにまとめて、展示会で発信してほしいと強く思います。

最後に、第3章をまとめてわたしがご説明する動画をご用意しています。
こちらもぜひご覧ください。
URL：https://tenjikaieigyo.com/douga

4章

成果に直結！
目からウロコの
展示会フォロー術

1 展示ブースでの来場者との会話、その場で盛り上がるだけだと意味がない？

展示会の当日、その場で売れることは決してありません。本書をここまでお読みいただいたあなたなら、そのことに気づいておられると思います。ではどうすればよいのでしょうか？

「展示会が終わったら、獲得した名刺に向けて、間髪入れずに電話してアポイントを取りまくる」

もしも、あなたがそう考えているとすると、展示会で成果を出すことはむずかしいと言わざるを得ません。

たとえば、こんな風にブースで来場者と会話し、話が盛り上がることがあります。

来場者　「この商材、いいねぇ。かなり興味あるよ」
スタッフ「うれしいです。ありがとうございます。」

来場者「価格はどのくらいなんだっけ？」

スタッフ「仕様にもよりますが概算で○○万円くらいです。」

来場者「えっ？　そんなに安いの？　それならぼくの決裁で買える金額だなぁ。」

スタッフ「ホントですか！」

来場者「うん。よし、買うことに決めた。稟議用の資料がほしいから後日、提案に来てもらえる？　これ、ぼくの名刺。この携帯電話に連絡してきてください。」

スタッフ「ありがとうございます。では、あらためてこのお電話にご連絡させていただきますね。」

来場者「うん。よろしく。」

スタッフ「（心の声）よっしゃ〜、朝からずっとブースに立っていた甲斐があったぞ。やっと、ついにいいお客に巡り会ったぜ！（ガッツポーズ）」

◇◇

一見盛り上がってますね。この営業スタッフは、もうこの顧客を心の中で来月の見込み数字に加えてしまっているかもしれません。そして、この営業スタッフは、展示会終了後、勇んでアポイントの電話を入れます。

スタッフ「いつもお世話になります。先日は展示会でありがとうございました。株式会社〇〇の田中と申します。その際、稟議用の資料をほしい、とおっしゃっておられたと思います。いつお持ちすればよいかと思いまして、日程調整のお電話をさせていただきました。」

来場者「ん？　そうだっけ？　展示会？　あ～、先週のやつね。それで、どちらさんでしたっけ？」

スタッフ「株式会社〇〇の田中です。展示会で稟議用のしりょ・・・」

来場者「（さえぎるように・・・）あ、もう打ち合わせの時間が過ぎてる。用事があればこちらから連絡します。」

スタッフ「え？　でも稟議の資料が・・・プー、プー、プー（電話が切れた音）」

こういう結末になってしまいます。展示会はある意味、お祭りです。**来場者はなか**

なかブースに立ち寄りませんが、一度立ち寄ったら、調子がよいのです。

今にも買うようなことを言っておきながら、翌日電話したら取りつく島もなく、電話を切られて、その後は、何度連絡しても決してつながらない、などということが日常茶飯事なのです。

つまり、展示会が終わった後で、「がんばってアポを取ろう」と考えているようでは、もう負け戦なのです。

ではどうすればよいのでしょうか？

答えは、**「来場者から望まれて訪問できるように、あらかじめ次回アポのための布石を打っておく」**ことです。

実例でお話しします。何度か登場しているオーアンドケーの例です。

オーアンドケーの出展商材は、介護施設にノロウィルスの発生を防ぐための清掃サービスです。前述の通り、介護施設にとって、ノロウィルスの発生は脅威ですから、そのことをブースキャッチコピーできっちり伝えれば、来場者は立ち寄ってくれます。

そして、ブースでの会話も盛り上がります。

「ノロウィルスかぁ。うちも怖いんだよねぇ！　これ、発生を防ぐことができるなら、興味あるんでけどなあ。どうかな？」

　来場者も興味津々のようですね。しかし、このまま別れてしまうと、次のアポイントが取れないのです。アポイントが取れなければ、決して売れることはありません。

2 後の祭りにならないように、次につながる布石を打っておく

　では、どうすればよいのでしょうか？

「興味あるねえ！」と言われたら、こう切り返すのです。

「ありがとうございます。そうおっしゃっていただける方が多いので、**実は、今回、施設内の環境がどのような状態かを把握するウィルスチェック診断を実施しています。**このウィルスチェック診断は、人が動きますので、本当は、最低でも3万円くらいいただきたいところなのですが、この展示会ブースでお会いした方については、先着80施設限定で、無料で対応させてもらっています。実際、**かなりお得なので、ほとんど**

展示会後、望まれて初回接触するためのトークスクリプト

実は、今回＿＿＿＿＿＿診断を実施しています。

この＿＿＿＿＿＿診断は、人が動きますので、

本当は、最低でも＿＿＿＿＿円はいただきたいくらなのですが

この展示会ブースでお会いした方については、

先着＿＿＿社限定で、無料で対応させてもらっています。

実際、かなりお得なので、ほとんどの方がエントリーされますが、

まだ少しだけ枠が残っています。　お客様はどうされますか？

の方がエントリーされますが、まだ少しだけ枠が残っています。お客様はどうされますか？」

　このように言われたら、来場者はかなりの高確率で、「では、その特典にエントリーします。」と言うはずです。

　おわかりでしょうか？　このように、来場者が「ぜひ来てください」と言う特典をあらかじめ用意して展示会に臨むのです。

　ひとつ注意点があります。それは、わたしたちは特典について考えると、つい「通常価格から10％割引」というような内容にしたくなる、という点です。これはイマイチです。

なぜなら、「通常価格から10％割引」というのは、見込み客に購入したい気持ちがあることを前提とした特典だからです。

①展示会でのブース対応 → ②後日訪問 → ③商談 → ④受注

この営業プロセスがあるとすると、③から④に進めるためには、「通常価格から10％割引」という特典は有効です。しかし、①から②に進めたい時には、割引や値引きは有効ではありません。くれぐれも「通常価格から10％割引」というような特典にならないように注意してください。

①から②に進めるための特典は、多くの場合、**○○診断とか□□点検、◇◇調査**などになるはずです。ここでも注意点があります。

それは、診断、点検、調査といった特典は、**新たに手間や工数がかかりすぎるものにしてはならない**、ということです。

前述のオーアンドケーのウィルスチェック診断も、新たな工数はほとんどかかっていません。オーアンドケーは、普通に引き合いがあって介護施設に初回訪問した際にも、必ず空気環境の測定やウィルス浮遊菌のチェックをした上で、清掃計画を立てて提案します。

つまり、通常の営業活動で行っていることを、来場者にメリットがある表現に少しアレンジするだけでよいのです。ここで行う診断、点検、調査はそれ自体で大きな付加価値を出す必要はなく、後日訪問するための営業施策であると考えましょう。

望まれて後日訪問する際の特典を考える手順は、次の2つのステップを実行してください。

ひとつ目のステップは、**新規顧客に初回訪問した際に、通常必ず行うことや聞くことを洗い出します。**

たとえば、展示会の出展商材がコピー機なら「今使っているコピーを目視で確認する」ということを必ず行うはずです。

次に、「このコピー機をいつから使っているのか？」、「月あたりどのくらいの枚数コピーするのか？」、「白黒とカラー比率はどのくらいか？」、「コピーした書類をホッチキス留めする頻度はどのくらいか？」などを必ず聞くのではないでしょうか？

このように、必ず行うことや聞くことを列挙します。

それができたら次にステップ2として、**洗い出した行為やヒアリング項目を見込み**

客にメリットがある表現に言い換えます。コピー機の場合なら、たとえば、「印刷物コスト削減診断」などと言い換えることができるのではないでしょうか？

展示会での営業において、**ブースで獲得した名刺に対して、「後日接触する」という点こそが、一番のボトルネックです。このボトルネックを解消する特典をあらかじめ仕込んだ上で展示会に出展するだけで、成果が大きく変わります。**

来場者から望まれて後日訪問するための魅力的な特典をぜひ考えてほしいと思います。

3 展示会後の商談では現状と理想のギャップを共有する

魅力的な特典によって高確率で、展示会後、来場者と再接触できるようになります。来場者と再接触したら、いよいよ本格的な商談が始まります。

展示会後の商談では、どのように振舞えばよいのでしょうか？

「見込み客との商談ならいつもやっているよ。いつも通りやればいいんじゃないの？」

あなたは、そう思ったかもしれません。もちろん、いつも通りのやり方で成果が出るのならそれでよいのです。

しかし、展示会で名刺を獲得した見込み客に対しては、いつものやり方をそのままやるだけでは成果が出ない危険性があります。なぜなら、**展示会で出会った見込み客は、通常の引き合い客よりもニーズが顕在化していないケースが多い**からです。

それはそうです。通常の引き合い客が、あなたの会社の商品、サービスの購入を検討して問い合わせをしてきているのに対して、展示会で出会った見込み客は、あなたの会社が展示ブースで提示した特典に魅力を感じて再接触の機会をくれたのです。ここには大きなちがいがあります。

では、展示会後の商談は、どのようにすればよいのでしょうか？

答えは、**「来場者の問題解決を支援する」**です。

なぜ問題解決を支援するのでしょうか？　それは、来場者の立場になってみれば自ずとわかるはずです。

来場者は、あなたの会社の問題解決型ブースに惹きつけられたのです。そして、アドバイザー、サポーター、パートナー、コンサルタント、コーチ、コンシェルジュなど問題解決の支援をイメージする肩書のスタッフと対話しました。その結果、自社の問題点を明らかにする診断、点検、調査などの特典にエントリーしたのです。

もうおわかりですね。**展示会での一連の流れの中で、来場者は、あなたの会社に「問題解決を支援してほしい」と思っている**のです。

「問題解決を支援してほしい」と考えている相手に対して、自社の売りたいものありきで商品PRや売り込みをしてしまっては成果が出るはずがありません。そうならないように注意して、「問題解決を支援する」というスタンスに徹しましょう。

ここは重要なポイントなので、もう少し深く考えてみましょう。

「問題解決を支援する」とはどのようにすればよいのでしょうか？　そもそも、「問題解決」における「問題」とは一体、何なのでしょうか？

「問題」とは、現状と理想の間にあるギャップのことです。では、あなたの会社の見込客は、自社が置かれている現状と自社がこうなれるという理想を正確に把握しているのでしょうか？

多くの場合、把握していないケースが多いのではないでしょうか？現状も理想も把握していないということは、その間にあるギャップが見えない、ということです。あなたは、見えないものの解決を支援することができるでしょうか？　できないですよね。

展示会後の商談では、あなたの売りたい商材のＰＲをする前に、まず、見込み客の現状と理想を明確にしてあげる必要があるのです。

「現状と理想を明確にする？　むずかしそうだなぁ。」

あなたは、そう思ったかもしれません。でも安心してください。見込み客と丁寧に対話していけば現状と理想は明らかになっていきます。

たとえば、見込み客から「困っているんです」、「問題だと感じているんです」という発言が出たとします。

問題とは？

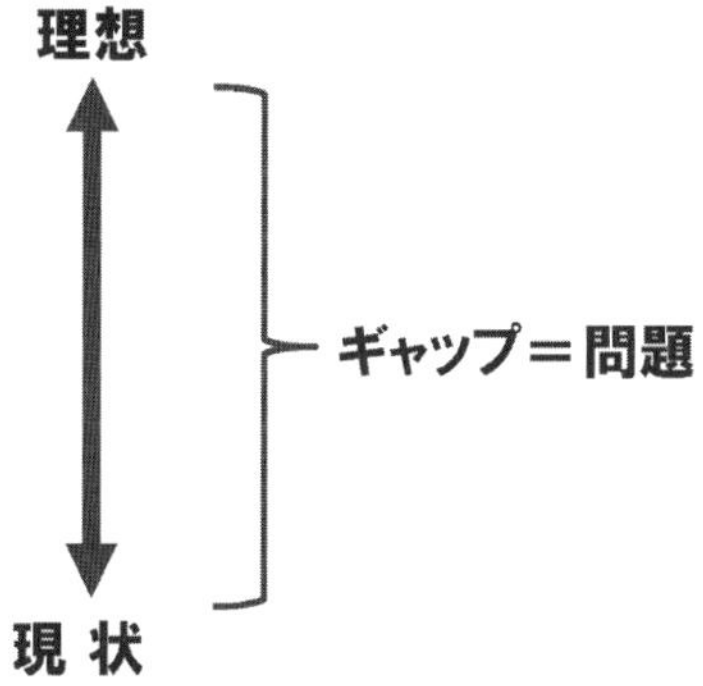

この時にあなたはどうするでしょうか？

「よし！　来た！　チャンス！（心の声）」とばかりにその発言に飛びついて、「それならうちの商品で解決できますよ！　なぜならうちの商品には特徴があってね、それはなにかと言うと・・・」と商品ＰＲを始めてはいないでしょうか？

これは絶対にいけません。これでは単なる売り込みですね。

「問題解決を支援するというスタンスに徹する」という気持ちでないと真面目な人ほどついこのようになってしまいがちです。注意してください。

では、どうすればよいのでしょうか？　実はとても簡単です。

見込み客から「困っているんです」、「問題だと感じているんです」という発言が出たら、一言、こう言えばよいのです。

「では、どうなればよいとお考えですか？」

こう聞けば、相手が理想の状態について話をしてくれるはずです。もし、相手自身が、どういう状態が理想なのかわかっていなければ、あなたが一緒に考えてあげればよいのです。

「困っているんです」、「問題だと感じているんです」という発言は、好ましくない現状が表明されたにすぎません。ここで慌てて飛びつかずに、「では、どうなればよいとお考えですか？」

と聞くことが重要なのです。

一方で、見込み客から、「○○になりたいと思ってるんです。」という発言が出るケースもあるでしょう。

この時、あなたはどうするでしょうか？

「それなら、うちの商品がお役に立ちますよ！なぜなら・・・」と飛びついてはいけません。もうおわかりですね。「困っているんです」の時の逆パターンです。

「○○になりたいと思ってるんです」という発言は、見込み客から理想が表明されたにすぎないのです。では、どうすればよいのでしょうか？

理想が表明されたのですから、次は、現状を把握したいですね。現状を把握するために、あなたは一言こう言えばよいのです。

「そうですか。今はそうではないということですね。今はどういう状態なんですか？」

こう聞けば、抱えている現状を見込み客が教えてくれるはずです。このように必ず、**見込み客にとっての現状と理想、その両方をセットで把握すること**を癖にしましょう。

そして、現状と理想はあなただけが把握するのでなく、見込み客と共有することが重要です。見込み客との対話を通じて、現状と理想を把握しますから、自然と共有することができているはずです。

現状と理想を見込み客と共有したら、こう言いましょう。

「どうやら現状と理想にギャップがあるようです。このギャップを埋めたいと思われますか？」

現状と理想を正確に把握し、そこにギャップがあると感じたら、見込み客は自然とこのギャップを埋めたくなります。見込み客は「ＹＥＳ」と答えるはずです。次に、あなたは、熱くこう言うのです。

「ギャップを埋めるお手伝いをしたい！　と強く思います。一緒にどうやってギャップを埋めるかを考えていきましょう！」

そして、このギャップを埋めるための道具としてあなたの売りたい商材を提案するのです。あなたは、問題解決を支援してくれる**頼もしいパートナーとして、見込み客の目に映っている**はずです。

見込み客と現状と理想を共有し、そのギャップを見込み客とともに埋めていく問題解決型の商談をすることで、売り手と買い手という利害関係を超えたパートナーになっていきましょう。

4 展示会で獲得した名刺を一枚もムダにしない方法とは？

本章では、ここまで来場者から望まれて接触するための特典企画や接触した際の商談の進め方について考えてきました。これをきちんと行うだけで大きな成果を出すことができます。

しかし、展示会後のフォローについては、実は、もうひとつ重要な論点があるのです。それは、**「そのうち客に対する対応」**です。

「そのうち客」というのは、「今はまだ購入のタイミングではないけれど、いずれは購入を検討しようと考えている見込み客」のことです。

実は、**展示会で獲得した名刺のうち、もっともその割合が多いのは、「そのうち客」**なのです。

わたしの感覚値では、獲得した全名刺の約25％が「今すぐ客」、約50％が「そのうち客」で、残りの25％がターゲットにならない非有効客、というケースが多いです。

では、全体の50％を占める「そのうち客」に対してどのように対応していけばよいのでしょうか？

即購入を検討してくれる「今すぐ客」なら話は簡単です。しっかり商談して購入を促せばよいだけです。しかし、「そのうち客」はそうはいきません。

展示会終了後、「そのうち客」に対して、アポイントを取ろうとすると、多くの場合、このように断られます。

そのうち客からすると、「今はまだお会いする時期ではないので結構です。実際に検討する時期になったらこちらからご連絡するかもしれません。それまでお待ちください。」という訳です。

このように言われたらあなたはどうするでしょうか？　多くの方がここでミスを犯します。

「営業は断れてからが始まりだ！」とばかりに、さらにしつこく面談を迫るのです。するとどうなるでしょうか？　見込み客は、心の中で「うわ！　こっちの都合も考えずに、しつこく売り込んできた。この会社は売り込みがはげしいぞ。いやだなぁ。実際に検討する時期が来ても、この会社は候補から外そう」。こう思うのは火を見るより明らかですね。

こうして、せっかく手に入れた将来有望な見込み客リストを自分自身でムダにしてしまう企業が後を絶たないのです。こんなケースをわたしは何度もみてきました・・・。

では、どうすれば相手の心にアプローチできるのでしょうか？

「そうか、強引にアポイントを取ろうとすると嫌われてしまうのですから、逆に、アポイントを取ろうとせずに放置していればよいのか！」

残念ながらそれでは、存在自体を忘れられてしまいます。せっかく展示会で将来の優良な見込み客と出会ったのに、放置して存在を忘れられてしまっては意味がありません。

では、一体どうすればよいのでしょうか？

答えは、**継続的に情報提供をすること**です。情報提供はメルマガがよいでしょう。**展示会で獲得した名刺に対して継続的にメルマガ（メールリストへの一斉送信）で情報提供することで、見込み客に自社を忘れさせないようにする**のです。メルマガは、できれば月に2回、最低でも月に1回は送りたいですね。

「大変そうだなぁ」多くの方はそう思ったかもしれません。でも安心してください。あなた一人でやる必要はありません。

メルマガの執筆は、社員さんの持ち回りにするとよいでしょう。たとえば、あなたの会社の社員数が25人なら、毎月2回メルマガを送るとしても、1年間に、ひとりたった2回かけばよいだけです。もちろん、送る前に、書いた内容を社内のどなたかがチェックする必要がありますが、このように社員さんが持ち回りでメルマガを書くようにすれば随分ハードルが下がるのではないでしょうか？

「なるほど。でもメルマガってどういう内容を書けばいいのだろうか？」

内容は相手の役に立つものなら何でもよいのです。ただし、**単なる自社商材の紹介にならないようにする**ということです。多くの人が、売りたい気持ちが強すぎて（それ自体は悪いことではないのですが、）つい、自社商品の特長や割引価格情報などをメルマガに書いてしまいます。しかし、こうした内容を読むと、見込み客は「売り込みをされた」と感じてしまいます。

なぜメルマガを送るのかを思い出してください。メルマガを送るのは、「そのうち客」に忘れられず良好な関係性を築いておくためでしたね。売り込みだと思われて嫌悪感を持たれてしまっては、せっかくメルマガを送っても逆効果なのです。

そうではなくて、メルマガには、見込み客の役に立つ内容を書きましょう。たとえば、**出展コンセプト検討シートの「展示会で出会いたい相手が心の中でつぶやいている悩みは？」に記載されている見込み客の困りごとに対する解決策を書いてあげればよい**のです。

こういった内容のメルマガを受け取った見込み客は、「あぁ、この会社は自分の悩みをわかってくれているなぁ。少しでも解決の役に立とうとしてくれているんだなぁ」と感じてくれるはずです。

このように**メルマガによって「そのうち客」と良好な関係性を継続しておくと、見込み客が本格的に購入の検討を開始したタイミングで、あなたの会社に「ちょっと来てほしい」と連絡が入る**はずです。

あなたも、売り込みではなく、見込み客の悩みに寄り添った内容のメルマガを書いてほしいと思います。

実は、わたしも、「展示会営業®7日間メール講座」と題して、メルマガで無料ノウハウをご提供しています。あなたが、継続的な情報提供によって見込み客と関係性を作る際の参考になると思いますので、登録しておいてください。

https://tenjikaieigyo.com/7mail

5 「５Ｇ」時代の潮流に乗って顧客の悩みに寄り添うコツ

加えて、もう一つメルマガでの見込み客との関係性作りに関するコツをお伝えします。

それは、**動画を上手く活用する**、ということです。この原稿を執筆している２０２０年、わたしたちの社会は歴史的な転換点を迎えようとしています。

今年オリンピックイヤーからは、「5G」時代の到来です。「５Ｇ」は、通信速度を超高速にし、自動運転や遠隔医療などの社会の課題解決のための有効なツールとして大きな期待を集めています。「５Ｇ」になると2時間の動画を3秒でダウンロードできるようになります。

この「５Ｇ」時代の潮流の中で、企業における動画活用が注目されているのです。あなたもこの流れに乗ってほしいのです。

具体的には、**メルマガに文字で記載した内容やその補足情報を口頭でも語り、その姿を撮影した動画を、ＹｏｕＴｕｂｅにアップするのです。そして、その動画にリンクするＵＲＬをメルマガに貼り付けて送るのです。**

文字だけの場合とちがって、動画なら、どういう現場の雰囲気なのか？　どんな表情で話しをしているか、どんな声のトーンなのか、身振り手振りはどうか？　など、さまざまな要素を伝えることができます。これが見込み客との関係性の構築に非常に有効なのです。

「えー、ＹｏｕＴｕｂｅなんてむずかしそうだし、そもそも見る人いるのか？」

そうお考えの方は、失礼ながら時代に取り残されていますので要注意です！　**いまや大手企業をはじめ、中小企業の多くは動画をビジネスに取り組んでいます。**

たとえば、ＹｏｕＴｕｂｅ動画をホームページに貼り付けるとアクセスが増えるケースが多いのです。

特に30代〜40代のちょうど脂の乗った基幹人材や、商材の発注権限をもつ中堅層はこのＹｏｕＴｕｂｅを活用している世代ですので決して軽視しないでください。

日本における中小企業の動画活用の第一人者で、第三章のナマ事例「株式会社アームズ・エディションさんのリフォーム産業フェア」にも登場した菅谷信一氏。実はビ

ジネスにおける、インターネット創世記よりその道一筋で20年間も第一線でご活躍されているネット経営の専門家です。

著書も10冊以上出版されている菅谷氏いわく、「映像による情報伝達は文字による情報伝達よりも伝達力が４５００倍高い」と言われています。

メルマガを送る目的は、見込み客に、あなたの会社が自分の悩みに寄り添おうとしているという印象を与えて、良好な関係性を築くことです。こうした動画の特性や「５Ｇ」時代の到来を「そのうち客」との関係構築にフル活用してほしいと思います。

最後に、第４章をまとめてわたしがご説明する動画をご用意しています。
こちらもぜひご覧ください。
URL：https://tenjikaieigyo.com/douga

5章

儲かり体質に変える数値目標のつくり方！

1 展示会で確実に成果を上げる目標設定方法とは？

ここまで展示会の準備、当日、フォローと一連の流れについてお伝えしてきました。準備、当日、フォローを一気通貫で設計することによって大きな成果を出せることをイメージしていただけたのではないでしょうか？

第5章では、売上的な観点でさらに踏み込んでお伝えしていきたいと思います。

つまり、**展示会における成果に直結する目標値の設定**についてです。

わたしは、展示会営業®コンサルタントとして、展示会に出展する企業からありがたいことに年間に相当数の相談を受けています。

この相談にはさまざまな内容があるのですが、相談を受ける際に必ず次の質問をするようにしています。

「展示会に出展して何を実現したいですか？」

すると、多くの方は、即答できないのです。中には、「売上アップです」とか「新規顧客を獲得することです」とおっしゃる方もおられます。

しかし、一歩踏みこんで「売上目標額はどのくらいに設定していますか?」「何件の新規顧客を獲得することが目標ですか?」とお聞きすると、口ごもってしまう方が非常に多いのです。

多くの方が、展示会出展にあたって、最も根本となる明確な数値目標を設定していないということです。

展示会に出展しようと思うと、単に出展するだけでもさまざまな手続きや作業が必要です。主催者への申し込み、ブース設営会社との打ち合わせ、社内の人繰り、当日の搬入搬出の手配・・・などなど、かなり煩雑です。

だからでしょうね。**往々にして、展示会に出展すること自体が目的化**してしまうのです。

しかし、それでは意味がありません！　展示会出展は手段であって目的ではありません。

ですので**必ずストレートに、「展示会出展によって最終的に得たい成果」を目標値**

として設定するようにすべきです。

それではどのようにして目標値を決めるべきなのでしょうか？
まずは、具体的に数字で設定しましょう。展示会に出展する方の多くの方の最終的に得たい目標値は、基本的には以下のようなものになるはずです。

・売上〇千万円
・受注〇件
・新規顧客獲得〇社

では、最終的に得たい成果を目標値として数値化すればそれで万事ＯＫでしょうか？　もちろん、答えはＮＯですよね・・・。
なぜなら全く具体性がないです、あなたが経営者なら「おまえらもう一回考え直せ！」と机を叩くシーンでしょう。

それでは具体性を考えていきましょう。展示会で成果を出す目標設定のコツは、ふたつです。

ひとつは、プロセスごとの目標値を設定すること。

もうひとつは、最終的に得たい成果から逆算することです。

それでは、ひとつ目のコツから考えてみましょう。展示会で成果を出すためのプロセスは、概ね次のようになります。

①展示会での名刺獲得→②展示会後の初回接触→③案件化→④受注

②の展示会後の初回接触は、第三章でお伝えした展示会後、望まれて初回接触する特典へのエントリーとほぼ同じになるでしょうから、「特典エントリー」と言い換えてもよいかもしれません。

この4つのプロセスを「概ね」と書いたのは、扱う商材や顧客層によって微妙に変わってくる面があるからです。

初回接触から受注までの商談リードタイムが短い場合や接触回数が少ない場合は、「③案件化」は、目標値として必要ないかもしれません。

最終的に得たい成果から各段階の目標値を逆算する

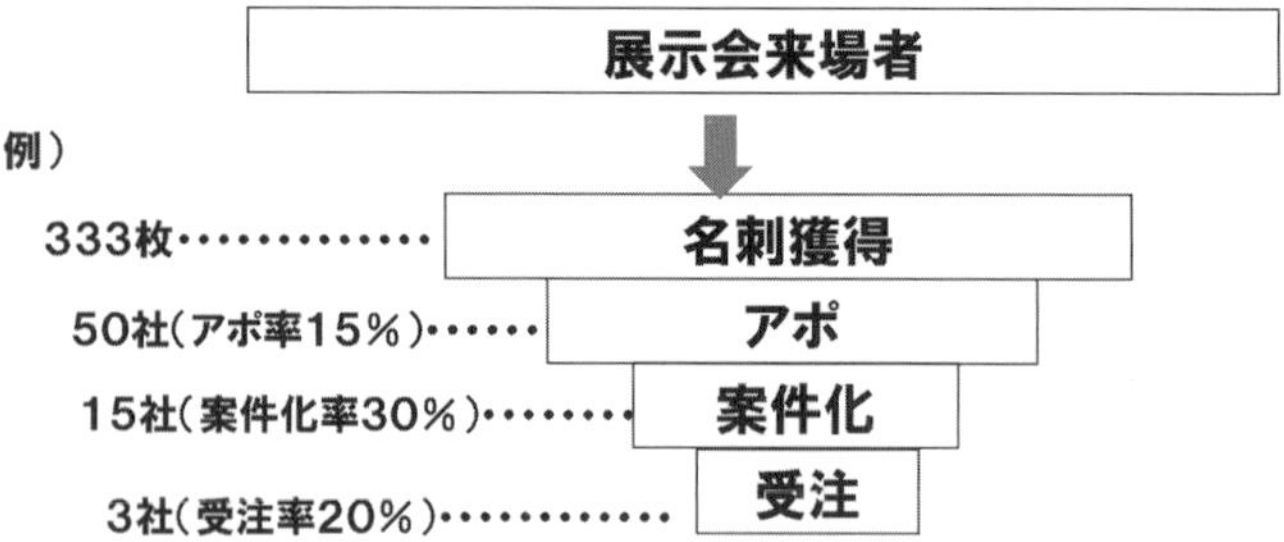

目標値は設定するだけでなく、進捗を追いかけていく必要があります。商談リードタイムが平均3年の商材なら、展示会終了後、3年もの間、このそれぞれの数字の進捗を管理しなければいけません。

そう考えると、**進捗を管理する項目は少ない方がよい**です。無駄に管理項目を増やしすぎないように気を付けましょう。

次に**ふたつ目のコツ、「最終的に得たい成果から逆算する」**について考えてみます。

たとえば、最終的に得たい成果が「新規受注を3件獲得すること」だったとします。

ここから逆算していきます。

「受注」の前のプロセスは「案件化」でしたね。

そこで、受注を3件獲得するために、何件の案件化が必要かを考えます。案件化からの受注率がもしも20パーセントなら、必要案件化数は3件÷0・2ですから、15件です。

「案件化」の前のプロセスは、「初回接触」です。「初回接触」からの案件化率が30％なら、必要初回接触数は15案件÷0・3＝50件です。

同様に、初回接触の前工程である「展示会での名刺獲得」からの初回接触率が15％なら、必要名刺数は50接触÷0・15＝333枚になります。

「そうは言うけれど、**プロセスからプロセスに移行する時の率がわからない**ょ」

そういう方は、まずは「えいやぁ！」で思い切って、「このくらいかなぁ」と思うパーセントを設定してしまいましょう。

そして、「えいやぁ！」で設定した目標値で取り組んでみるのです。一度取り組めば、実際の移行率がわかりますから、次年度以降は、その実績値をもとに、目標値を設定していきましょう。

2 逆効果になる危険性？　目標設定のワナ

「よし！　では意欲的な目標設定をしよう。そしてそれを、当日ブースに立つスタッフ一人ひとりに割り付けよう」

いや、ちょっとまってください。「スタッフ一人ひとりに割り付ける」ということは、会社全体の目標値をブーススタッフ一人ひとりに細分化して落とし込むということです。

前述の例の通り、全社の名刺獲得目標が33枚の場合を例として考えてみましょう。

当日ブースに立つのが３人なら、一人当たり名刺獲得目標は、３３３枚÷３人ですから１１１枚になります。さらに、これを一日当たりに細分化すると、展示会の会期が３日なら１日あたりの名刺獲得目標は、１１１枚÷３日＝37枚になります。

そして、さらに一時間当たりに細分化すると展示会開催時間が10時から17時の７時間なら、１時間あたりの名刺獲得目標は37枚÷７時間＝５・３枚となりますね。

そして、一人ひとりにこう言うのです。

「今回の展示会では成果を出すために目標値を細かく設定することにした。一人当たりの名刺獲得目標は１１１枚だ！　つまり、**1時間に最低でも6枚は有効名刺をもらえるようにがんばってくれ！**　よろしく頼むぞ！」

このように言われたブーススタッフはどうなるでしょうか？

「はい！　がんばります！」と口では言うかもしれません。でも、心の中では、「あ～あ。ノルマ設定かよ・・・。仕方ない。怒られない程度にやって無難に切り抜けよう・・・」と思っていることが多いのです。目標を強く追求しすぎると、目標が仕方なくイヤイヤ取り組むノルマになってしまうのです。

そして、「あ～あ、展示会なんて出ない方がいいのになあ！」と思うでしょう。

こうなってしまっては、展示会で成果を出すことは決してできません。

何事においても、**イヤイヤ取り組むことは成果が出にくいのですが、展示会では一層その傾向が強く**なります。なぜなら、**展示会はイベントであり、ある意味お祭りだからです。**

「よしやってやろう！」と、明るく元気に活気を持って対応するべきお祭りの場で、イヤイヤ取り組んでいて成果が出るはずがないのです。

しかも、前述の通り、来場者は「頭が回転せず思考停止している」のです。思考停止状態で展示会場を回遊しているからこそ、ブーススタッフが自らやる気と活力を持って取り組んでいるのか、それともイヤイヤ取り組んでいるのかを、感覚的に敏感に察知します。

スタッフがノルマのために仕方なく対応しているブースだと、来場者は「このブース、統制が取れていてきちんと対応してくれそうなのだけれど、何となく近づきたくないなぁ」と感じてしまいます。こうなってしまっては、成果が出るはずはありません。

では、どうすればよいのでしょうか？

目標がノルマ化してスタッフがイヤイヤ取り組むことになるくらいなら、目標を強く追及するのを止めてしまった方がよいのでしょうか？

それも違います。遊びでやっていることならそれでもよいでしょう。しかし、展示会は遊びではありません。コストも労力もかかっているのです。絶対に成果を出す必要があります。

成果を出すために目標を強く追及したいのに、それをすると、逆に成果が出なくなる、まさに、目標設定のワナに陥ってしまうのです。

3　目標をノルマ化せず自ら追いかけるものにするコツ

この**目標設定のワナを打ち破るための有効な方法のひとつが、「ゲーム化」**です。

あなたはゲームをしたことがあるでしょうか？　ここで言うゲームというのは、テレビゲームやスマホゲームです。

ご自身では経験がない方もお子様はしているのではないでしょうか？

先日、電車に乗っていると、年のころ、65歳くらいの上品なロマンスグレーの男性が、一心不乱にスマートフォンを連打していました。一体どうしたのだろう？　と思ってチラっとみるとスマホゲームをしていたのです。

外見からは、とてもゲームなどやりそうもない人までゲームをやっています。こういう方が非常に増えてきているように感じます。

移動中のちょっとした時間でもつい夢中になってしまう、そして一度始めると、ハマってしまって時間を忘れて没頭してしまう、こういう魅力、魔力がゲームにはあるのです。

ゲームというのは、「ゲームばっかりしていたらアホになるぞ！」というようにどちらかというと害になるもの、と揶揄されることが多いものです。

しかし、もしもこの**ゲームの魔力を展示会の取り組みに応用することができたらすばらしい**と思いませんか？

ちょっとした空き時間でもつい夢中で見込みのありそうな来場者を探してしまうのです。そして一度取り組み始めると、時間を忘れるほど没頭してブース対応をしてしまいます。

もしもあなたの会社のブーススタッフがそういう状況になったなら、目標設定のワナを打ち破り、大きな成果を出すことができるはずです。

では、どのようにすれば、展示会の取り組みをゲーム化することができるのでしょうか？

実は、取り組みをゲーム化するのは、それほどむずかしくありません。次の4つの条件を整えればよいのです。

【ゲーミフィケーション成立の4条件】

①何をすべきかが明確になっている（目標・課題・アクションの明確化）

何をしたらいいかわかりません、というのではゲームを始めることはできません。ゲームの特徴として、やるべきことが明確になっている、という点をはずすことはできません。

②自分の現在地が見える化され、（ランキング・ポイント・レベルの見える化）

ゲームでは、得点、レベル、経験値、体力バロメーターが常に「見える化」されています。

③アクションに対する即時フィードバック（称賛）があり（即時フィードバックによる自己効力感）

ゲームでは何かをやれば必ず反応が返ってきます。銃を撃ったら敵が爆発した、

ゲーミフィケーション成立の4条件

1. 何をすべきかが明確になっていて、
⇒目標・課題・アクションの明確化

2. 自分の現在地が見える化され、
⇒ランキング・ポイント・レベルの見える化

3. アクションに対する即時フィードバック（称賛）があり、
⇒即時フィードバックによる自己効力感

4. ゴールや達成によって報酬がもらえる。
⇒達成感や達成に対する報酬の魅力

どんな取り組みでもこの4条件が整うとゲームになる。

モンスターを倒したらと経験値が上がったというように、アクションに対するフィードバックが必ずあるのです。これを即時フィードバックと言います。そして、自己効力感とはやればできるという自信のことです。即時フィードバックを得ると自己効力感が高まります。

④ゴールや達成によって報酬がもらえる（達成感や達成に対する報酬の魅力）

報酬は必ずしも、お金やモノでなくても構いません。「よくやったね！」「すごいぞ！」と褒められるような心的報酬も立派な報酬になります。

このゲーミフィケーション成立の４条件

が揃うとどのような取り組みでもゲーム化することができます。もちろん展示会の取り組みもゲーム化できます。

4　450年前、豊臣秀吉もゲーミフィケーションを活用していた!?

取り組みにゲームの要素を取り入れて、勢いをつけて、成果を高めようとする発想は、実は古くから行われていました。

かの有名な、木下藤吉郎（のちの豊臣秀吉）の清洲城三日普請はその好例といってよいでしょう。ご存知の方も多い話でしょうが、簡単にご紹介します。

信長を驚かせた木下藤吉郎の清洲城三日普請

戦国時代、織田信長の居城、清州城の城壁が洪水で崩れた際に、織田家の重臣が修復普請工事の監督に当たりましたが、だれが担当しても遅々として進みませんでした。

そこで、手を挙げたのが木下藤吉郎です。

工事監督を請け負った藤吉郎は、全部で百間（約１８０メートル）ある普請面積を10区画に分割して、各区画をそれぞれに人夫を割り当て、賞罰を明確にして、組ごとに競争させました。

各組が受け持つ工区は十間（18メートル）になります。藤吉郎は、各組に対して、工区の一部分だけを普請するのではなく、十間全体に対して土を積み上げる方法で行うように指示しました（【目標・課題・アクションの明確化】）。

この方法で普請を行えば、工事途中の城壁が高く積み上がっている組ほど、工事進捗が速いということになります。藤吉郎は、各組の成績（工事の進捗具合）をパッと見て一目でわかるようにしたのです（【ランキング・ポイント・レベルの見える化】）。

さらに、通常百文の日当を、一番高く積み上げた組は5倍、二番目の組は4倍、三番目の組には3倍にし、その日のうちに支払いました（【即時フィードバックによる自己効力感】）。

そして予定より早く完成させたら、日当とは別に褒美を出すことを約束しました（【達成感や達成報酬の魅力】）。

すると、それまで遅々として進まなかった普請工事が、わずか3日で完成したというのです。それを聞いた信長は「人間の力とは妙なものだのう」と感心したそうです。

完成までの日数は文献によって諸説ありますが、藤吉郎が他の重臣たちのだれもがなし得なかった普請工事を短い期間で完了させたことは間違いありません。

なにしろ４５０年以上前のことですから、藤吉郎には、「ゲーム化している」という気持ちはなかったでしょうが、下積み時代の経験から、勢いをつけ、イキイキと元気に活力を持って取り組むためには、こうしたやり方が効果的だということをよく知っていたのでしょう。

ゲーミフィケーション４条件を整えることで、さまざまな取り組みをゲーム化することができますが、特に展示会はゲーム化するべきです。

繰り返しますが、**展示会はイベントでありお祭りの要素がある**からです。第３章の体験アトラクションのところでも触れた通り、日ごろ、**骨太な製品を扱っている真面目な企業も真面目一辺倒で取り組むよりも、遊び心があった方がよい**のです。あなたも、ぜひ展示会をゲーム化してほしいと思います。

5 成果を出すために展示会の取り組みをゲーム化する

「4条件はわかったけれど、具体的にどうやってゲーム化すればいいのだろう？むずかしそうだぞ。」

いいえ、展示会の取り組みをゲーム化するのは、むずかしくありません。目標値をゲームの得点にするだけのことです。

名刺を獲得したら一枚につき1ポイント、特典にエントリーしてもらえたら3ポイント、案件化したら3ポイント、受注したら5ポイントというように、**目標値をゲームの得点に置き換えて、その得点を競えばよい**のです。

得点は、さらに細かく重みづけをしてもよいかもしれませんね。たとえば、見込み客の経営者に直接アプローチする方が受注しやすい商材なら、通常の名刺獲得は1ポイントとし、その獲得した名刺が経営者のものなら、さらにプラス2ポイントとする、というようなイメージです。

ゲーム名にもこだわりたいです。たとえば、以下のようなゲーム名だと仕事といえ

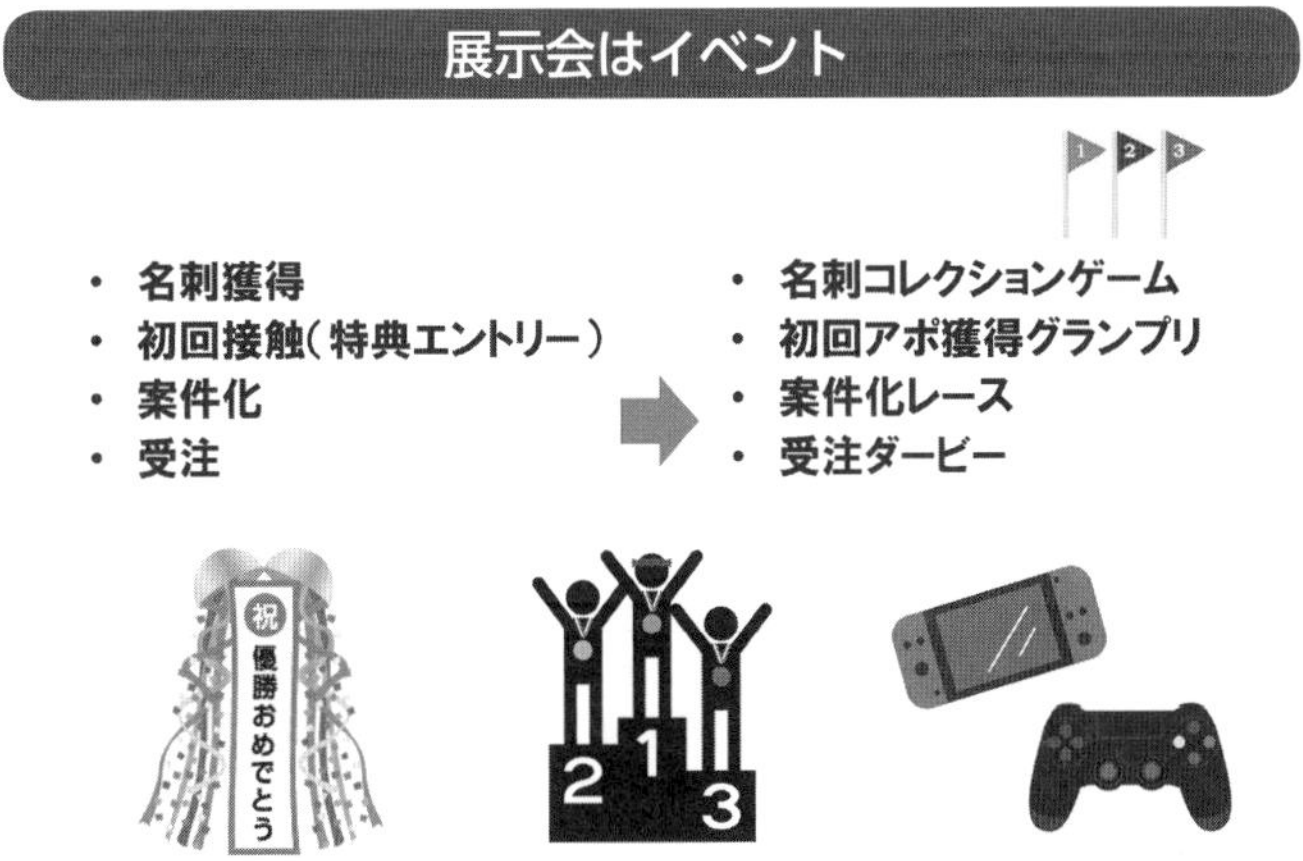

成果を出すためにゲーム化して取り組む

どやってみたくなりませんか？

・名刺コレクションゲーム
・初回アポ獲得グランプリ
・案件化レース
・受注ダービー

どうでしょうか？　面白く感じられませんか（笑）。

少なくとも、「必達目標！　名刺300枚！」などのようにノルマをイメージさせるものとは異なる印象になっているのではないでしょうか？

もし、ブーススタッフが大人数になる場合は、**チーム戦にするのも効果的です。**

ゲーム化マシン　PURE QUEST

チーム編成は、日ごろ接点が少ない人同士が同じチームになるようにするとよいでしょう。展示会後もチームとしてゲームをしていきますから、社内のコミュニーションが活性化するという効果も期待できます。

ゲーム化する時にもっとも煩雑になるのは、第二条件：「自分の現在地が見える化されていること」です。これは、見える化を表計算ソフトなどで行ってもよいのですが、そうすると操作性がよくないです。また、ゲームというより通常業務のような印象を与えてしまいます。

そこで、人手と資金が少ない中小企業が手軽に展示会をゲーム化できるように、弊社でゲーム化マシンを開発しています。成果を上げるためにこのようなツールの活用も検討するとよいでしょう。

ゲーム化マシンの詳細は、https://tenjikaieigyo.com/game/からご覧ください。

最後に、第5章をまとめてわたしがご説明する動画をご用意しています。
こちらもぜひご覧ください。
URL：https://tenjikaieigyo.com/douga

6章

展示会営業®術が会社を強くする！株式会社名《な》井《い》内《ない》の復活劇！

1 展示会営業®術の成果は売上・受注や新規顧客獲得だけじゃない

ここまで、確実に成果を出す展示会営業®術について見てきました。

本書でお伝えしたように、展示会を**準備→当日→フォローの一連の流れでとらえて、一気通貫で受注までの動線を設計した上で、展示会に出展している企業はまだまだ少ないのが現状です。**

だからこそ、きちんと取り組んだ企業は必ず成果が出るのです。あなたも、ぜひ、本書の展示会営業®術を実践し、売上・受注の増大や新規顧客獲得を実現してほしいと思います。

そして、実は展示会営業®にはさらに秘めたる効果があるのです。

それは、**展示会営業®術に基づいて展示会出展を行うと、その準備や実践の過程で、売上、受注、新規顧客獲得などの直接的な成果以外にもさまざまなプラスの効果があ**るということです。

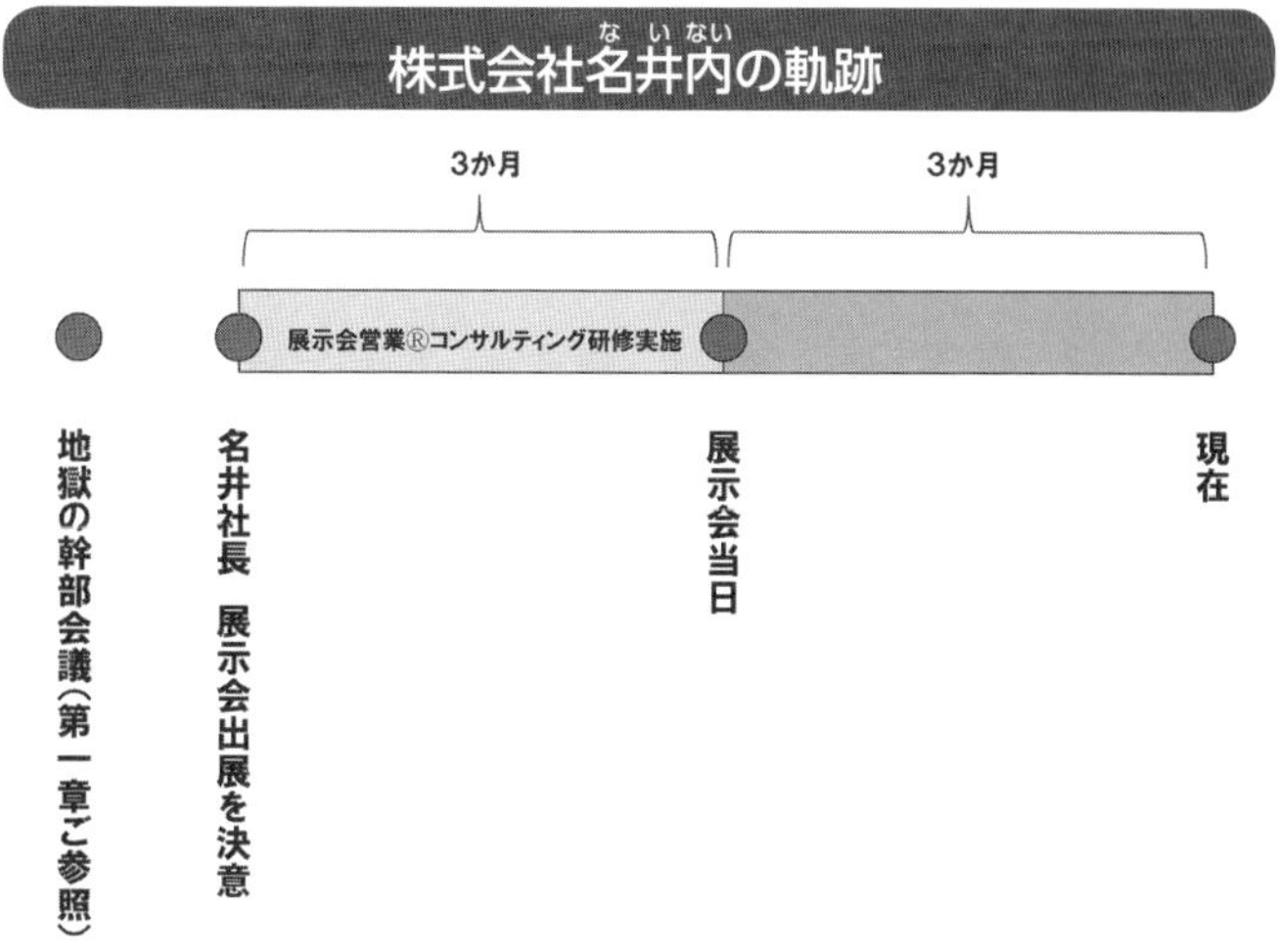

わたしは、展示会営業®コンサルタントとしてさまざまな企業のご支援をさせていただく中で、売上アップの実現だけにとどまらず、**展示会出展を通して儲かり体質に変わっていく企業を数多くこの目で見てきました。**

では、売上、受注、新規顧客獲得以外の効果とはどのようなものなのでしょうか？　第一章でご紹介した架空の企業、株式会社名井内《ないない》の例を通してお伝えしていきます。

株式会社名井内《ないない》は、第1章のあの地獄のような幹部会議の後、展示会に出展することを決意しました。そして、展示会営業®コンサルタントの指導を受けながら、展示会営業®術にもとづいて準備し、3か月後に展示会の当日を迎えます。

それから時が経ち、展示会当日からさらに3か月が経過しました。

株式会社名《な》井《い》内《ない》はどう変わったのでしょうか？　皆さんに聞いてみましょう。

2　20年ビジョンのワクワク感。社員の顔つきが変わった

《名井社長の話》

最近、社員の顔つきが変わってきたんだよ。やっぱり、**いろんな部署からメンバーを募って、プロジェクトチームをつくって、みんなで話をしながら取り組んだのがよかった**のかな。

でも、最初はだれからも意見が出なくてすごく苦労したんだよな。出展コンセプトっていうの？　あれを考えてみても、**そもそも、「見込み客が何に悩んでいるか？」、だれもちゃんとわかってない**んだもんな。あっ、おれも含めてだよ。それに気づいた時は、愕然としたよ。「これじゃぁ、新規開拓なんてできるはずないぞ」ってね。

そこから、一人ひとり手分けして、お客さんのところに、「何に悩んでますか？」っ

て聞きに行ったりしてね。むずかしかったけど、楽しかったなぁ。**だんだん、みんな、学園祭みたいなノリになってきてね。**

一番興奮したのは、**20年後のビジョンについてみんなと語り合った時**だなぁ。**「単なる電子部品製造会社だと思っていたうちにも、色々な可能性があるんだなぁ」**って社長であるおれ自身が思ったもん。それに、意外とみんな、色々考えてくれててさ。こんな風にメンバー一人ひとりの話に耳を傾けて、全員でその話にワクワクする、なんてことは、創業以来一回もなかったんじゃないかなぁ。

それから、ブースキャッチコピーをみんなで考えたりしてね。これまで、「おれが指示して、社員はそれをこなす」みたいな感じだったけど、今回は、**みんなが自ら主体的に動いてくれた**もん。

当日もうちのブースに人垣ができてさ。あれは自信になったね。**「うちみたいな中小企業でもこんなに求めてくれてる人がいるんだ！」**ってさ。自信持ってやってたからかなぁ、**仕入れ先とか外注先の候補みたいな会社も発掘できちゃった。**

え？　結果？　え〜っと、今、新規顧客獲得が成約ベースで5件だったかな。まだ試作だけしか頼まれてないものも含めてだけどね。

でも、3年も前から、新規顧客獲得をスローガンに掲げてきて1件も取れなかったのに、わずか6か月で5件だからね。この成果にはすごく満足してるよ。

だけどね、今しゃべりながら思ったけれど、そういう直接的な成果よりも、**社員の成長**の方がおれはうれしいなぁ。**みんな、顔つきが以前とちがう**からね。今後うちの会社がどんな風に変わっていくのか、年甲斐もなくワクワクしちゃってるんだよね。20年ビジョンに向かってしっかり取り組んでいくよ。

展示会営業®術に取り組んで本当によかったよ。6か月前とは別の会社みたいだもん。

3 プロとして教える人になったら今まで以上に顧客が喜んでくれる

《鈴木営業部長へのインタビュー》

あ〜、忙しい、忙しい。今も、見込み客のところに行ってきたところなんですよ。

今回の商談も多分上手くまとまりそうです。そうすると、展示会から通算6社の新規顧客獲得が成功したことになります。いや〜、うれしいですね。まだまだ、決まりそうですよ。

え？　なんでそんなに上手くいくのかって。なんででしょうねぇ。以前、新規開拓に苦戦していたのがウソみたいですね。

別に前もサボってたわけじゃないんですよ。そうだなぁ。**一番変わったのは、変にへりくだりすぎなくなったことかな。これまでは、お客さんの言うことにいかに素早く、そして安く答えるかが勝負だ！　って思ってた**んですけれど、ずいぶん変わってきました。

こちらから提案するようになったんです。今日だって、**お客さんが「ほしい」って言ってくれてるのに、「なんでほしいのですか？」って聞き返しましたもの。そうしたら、お客さんが本当に求めてるものが、だんだん明らかになってきて、もっと大きな金額の商談になった**んです。

なんで、そんなに変わったのか、ですよね？　なんででしょうねぇ〜。だって、**名刺に書いてある肩書が「電子部品コンサルタント」**なんですよ。最初は、ぼくみたいなただの営業マンがコンサルタントなんて名乗って本当にいいだろうか？　ってビビってましたよ。でも、やっていくうちにだんだんしっくりきました。**お客さんって、実は売り込まれるのは大っ嫌いだけど、教えてもらうのはすごく好きなんだ**なぁって最近思うんです。

それと、**「志プレゼン」**って言うんですか？　**展示会のブースで20年後に実現したい未来を語るプレゼン**、あれをぼくがやったんです。最初は、いやでしたよ。

そもそも、プレゼンなんてやったことないし、何より雲をつかむようなことを言うのって、大言壮語って言ったらいいのかなぁ、とにかく、いやだったんです。

でも、やってみたら、結構、来場者の人が耳を傾けてくれるんですよ。これまでは素通りだったのに、**プレゼンを始めたら立ち止ってくれる人が明らかに増えました**からね。それに、**社員が共感して**くれて、**「鈴木部長！　なんか鈴木部長のプレゼン聞いてたらワクワクしてきました。ぼくもがんばります！」**って目に涙を浮かべて言ってくれたりしたんです。

以外と向いてるのかなぁ。次の展示会でもプレゼンターに立候補しようと思います。

あ、そうそう、昨日、Z社に行ったら「名井内さん、最近、調子良さそうだね。営業の田中くんも、前とちがって元気いっぱいだよ。この前も、うちの要望に対して、「もっといいやり方があります」って追加提案してくれたんだよ。これからもドンドン提案してくださいね！」って言われたんです。

今まで、こんなこと一回もなかったんですよ。いつも、嫌味ばっかり言われてて、「こんなに尽くしてるのになんでなんだよ！」って心の中で思ってたんです。でも、最近わかりました。**尽くすことと、言いなりになることは別なんだって気づいたんです。**

これからも、お客さんのお役に立てるように「プロとして教える」という姿勢を持って商談していこうと思います。

4 若手の自分にも出番がたくさんあると気づいた。アイディア出しが楽しい

《営業担当田中くんの談話》

言わないでくださいね。ぼく、実は、転職活動してて、内定ももらってたんです。そのころは、仕事がつまんなくて・・・。でも、辞退しました。だって、今、**仕事が**

超おもしろくなってきたんですもん。

あの展示会は、ほんと楽しかったです。プロジェクトチームでいろいろアイディア出しをしたんですけど、**結構ぼくのアイディアが採用された**んですよ。ブースキャッチコピーとか体験アトラクションとかね。これまで、アイディアを求められることがなかったから、最初はとまどいましたけど、だんだん楽しくなってきちゃって。

展示会の当日、名刺獲得数を競うゲームをやったんですけど、ぼくたちのチームが1位だったんですよ。なんか、**ゲームとなると負けたくないなぁと思っちゃって色々工夫しました。**

それと、ブース対応のゴールを特典への誘導にしたんですけれど、その反応がすごくいいんです。ぼくたちが「まだ少しだけ枠が残っていますけれど、どうされますか？」って聞いたら、たくさんの人が「ぜひお願いします！」って言ってくれたんです。なんかねぇ、**お客さんから求めてもらってるなぁ、ってすごくやる気になったし自信がついた**んです。

そうそう、ブースキャッチコピーのところに、ぼくの写真を掲載したんですよ。その方がアイキャッチ効果があるからって。そうしたら、当日、来場者さんから結構、声をかけられるんです。「あの写真の人ですよね」って。

恥ずかしいんだけど、**有名人になった気分**で、正直ちょっとうれしいなぁって思ったんです。実は、目立ちたがりなのかなぁ。

今、「そのうち客」のフォローでメルマガを月に2回送ってるんですけど、そこにも文章だけじゃなくて、**動画**を入れよう、ってことになって、**ぼくが出演しているん**ですよ。今度、届くと思うので、ぜひ見てくださいね。

5 小さな会社は、製造部と営業部でケンカしている場合じゃない

《五十嵐開発製造部長の話》

こんなにお客さんのことを考え抜いたのは初めてです。

正直言うと、これまでは自分の仕事は、「よいモノをきちんとつくることだ」としか思ってなかったんです。だから、興味や関心は、「納期までに仕上げること」、「現場のミスでラインが止まったり不良が出たりしないようにすること」だけだったんです。

今回、出展コンセプトを考えていく中で、初めてお客さんのことを真剣に考えたんです。そして、**お客さんについて考えることは、すなわち、自分の仕事について深く考えることなんだ**って気づきました。

今までは、営業部が安い金額で商談をまとめてきたら「何やってるんだ！　そこを踏ん張って高く売るのが営業の仕事だろうが！」って怒ってましたし、やたらと短納期の仕事を取ってきたら、「そんな注文を受けるから製造コストが上がるんだ。その分、自分の給料から引いてくれよ」と本気で思ってました。

でも、**ぼくは、なぜ、そういう低価格、短納期の要求をせざるを得ないのかというお客さんの状況にまで考えが及んでなかった**って気づいたんです。

だから、今は、**まず営業部の要望を、いきなり突っぱねるのではなくて詳しく聞く**ことにしました。そして、必要があれば、**営業マンに同行して一緒にぼくが客先に出向く**ようにしたんです。この前も、田中くんと一緒に新規見込み客のところに行ってきましたよ。田中君はびっくりしてましたけどね。

「うちみたいな小さな会社は、製造部と営業部でケンカしている場合じゃないんだよ」って言っときました。

展示会のブースに立つのも新鮮でした。わたし、実は、お客さんとの対話ってZ社以外とはほとんどしたことがなかったんです。**お客さんと面と向かって対話すると開発や改良のアイディアを色々思いつきました。**これから、実現していきますよ。

そうそう、それと今回の**展示会から、材料の仕入れ先と加工の外注先の候補が見つかったんです**よ。見込み客に向けてわかりやすくメッセージを伝えると、見込み客以外の人にも響くことがあるんだなぁって気づきました。

営業部ががんばってくれて、うれしいことに新規顧客をすでに5社獲得しています。新しいお客さんのご期待にお応えできるように、わたしたち製造部も気合入れていきますよ。

6 採用にも活用できる。我が子に入社させたい会社になる

《高杉総務経理部長の談話》

ぼくは、正直言うと、展示会に出展することに反対だったんです。出展料もかかりますしね。出展料だけでも高いと思ってるのに、社長がさらに、展示会で成果を出すためのコンサルティング研修も受講する、って決めた時には、途方にくれましたよ。

もっとお金を使うべきところがあるんじゃないか！　ってね。でも、今は本当によかったと思っています。

うちも、これまで、色々な研修をやってきたんですよ。それこそ、マナー研修みたいなものから、営業研修、製造技術系の研修とかね。でも**展示会で成果を出すためのコンサルティング研修は、今までのどんな研修よりも有意義でした。**

実際に、研修を重ねるごとに、社員の目の色が変わってくるのが手に取るようにわかったんです。実際に展示会に出展することを前提として取り組むから研修が研修室の中だけで終わらないんです。

それに、今回の研修で、**成果を出すための手順がすべてわかったから、次からは、同じ展示会に出る時はもちろん、別の展示会に出展する場合でも、自分たちだけで取り組むことができます**からね。

そうそう。それで、展示会の当日、おもしろいことがあったんです。それはね、うちのブースの盛り上がりを見て、「25歳くらいの男性が、**第二新卒の採用募集はしていませんか？**」って言ってきたんです。こんなこと、わたしが総務部長になって以来初めてですよ。

「なんで、うちに来たいの？」って聞いたら、**「ブースに人垣ができているし、人気がある会社なんだなぁ」**と思ったって言うんです。それと、**「20年後に実現したい未来をプレゼンしているのを聞いて感動した」**って言ってくれたんです。なんだかうれしくなってきちゃいました。

うちも、これまで、求職者向けの合同説明会とかに出たこともありますけど、そんなこと言われたことなかったですからね。**展示会営業®術は、実は、採用のための合同説明会にも応用できる**と、ぼくは確信しています。

それと、これは、内緒なんですけど、実は、展示会に家族を呼んだんです。妻と12歳になる娘が来てくれましてね。

それで娘が、うちの会社のブースの盛り上がりを見て、**「わたし、将来パパの会社で働きたいかも」**って言ってくれたんです。思わず涙が出ちゃいました。

我が子に自信を持って就職を勧められる会社になるように、ぼくもさらに頑張っていこうと思っています。

**儲かり体質になる展示会営業®術がもたらす
売上・受注増大、新規顧客獲得以外のさまざまな効果**

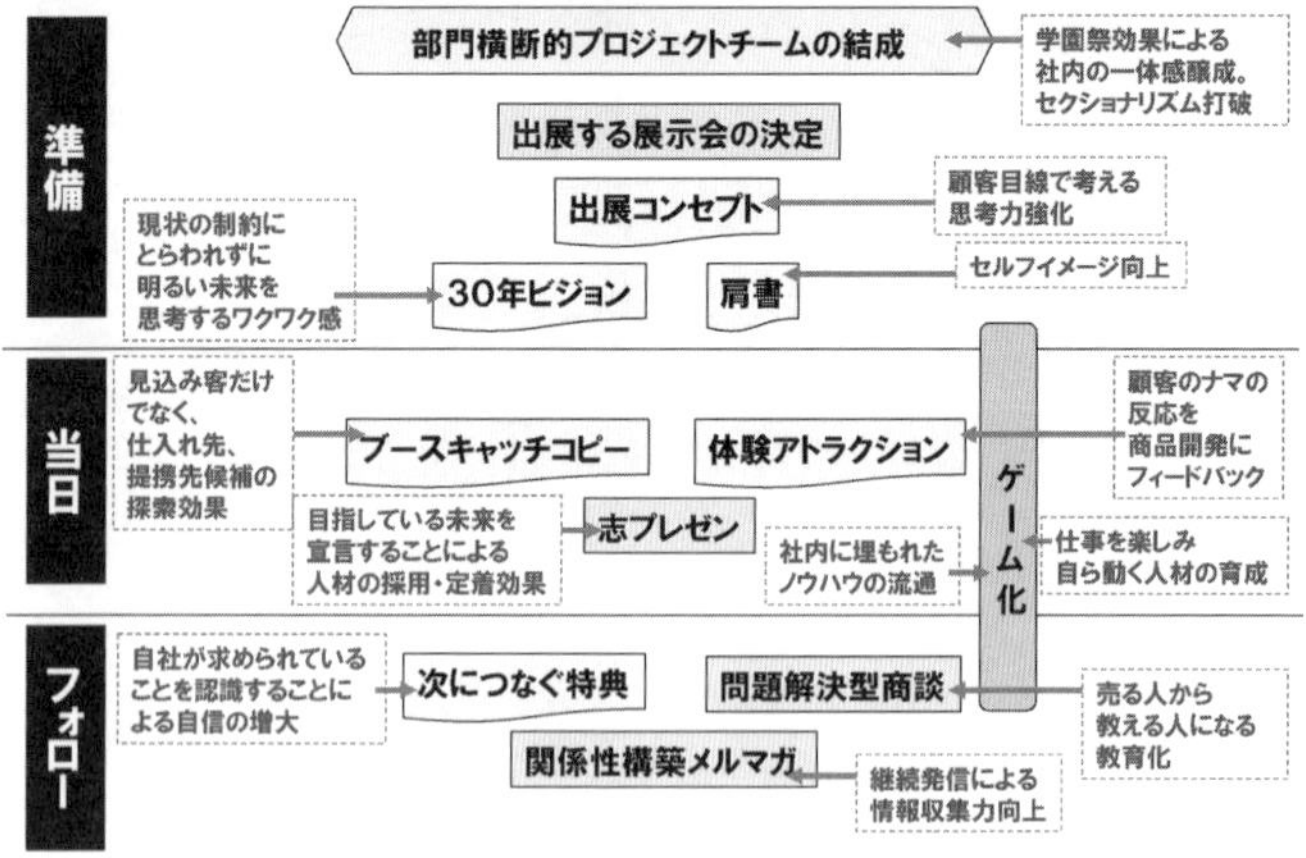

どうでしょうか？　株式会社名井内が、展示会営業®術を活用することで、**6か月前とは全く別の会社に生まれ変わった**様子をイメージしていただけたのではないでしょうか？　あなたの会社もこうした変化を起こすことが必ずできます。

これからもわたしは、あなたの会社がいつも明るく、どこの誰に対しても誇れるような仕事ができるように心から応援を続けていきます。

7章

著者「清永健一」が聴く！

展示会
プロフェッショナル達の
「成功の舞台裏」インタビュー！

成功体験があれば企業は変われる。そういう環境を整えたい！：日本貿易振興機構（JETRO）

本書では主に、国内展示会に出展することを念頭に置いて、そのノウハウや事例をお伝えしてきました。近年は海外市場に挑戦する中小企業も増えていて、その多くが海外の展示会出展で販路を切り拓いています。ここでは、展示会の出展支援を中心に中小企業の海外進出をサポートしておられる日本貿易振興機構（JETRO）の市場開拓・展示事業部長 吉村佐知子さんにその取組みと、中小企業が海外出展する際のコツや課題をお伺いしました。

【ジェトロ（日本貿易振興機構）】

2003年10月、日本貿易振興機構法に基づき、前身の日本貿易振興会（1958年設立）を引き継いで独立行政法人として設立。国内48か所、海外74か所のネットワークを活用し、海外ビジネス情報の提供、中堅・中小企業等の海外展開支援、農林水産物・食品の輸出、対日投資の促進とスタートアップ企業の海外展開支援を通じたイノベーション創出などに取り組んでいる。市場開拓・展示事業部のほか、お客様サポート部、イノベーション・知的財産部、対日投資部、農林水産・食品部、デジタル貿易・新産業部、ビジネス展開・人材支援部、海外調査部などが、それぞれの専門性を活かし多方面で企業の海外ビジネスをサポートする。

■費用や手続き代行、海外市場や商習慣への対応支援も

清永：海外でのビジネス展開を検討する企業の方は、ジェトロの名前は聞いたことがあるとは思いますが、あらためてその支援内容を教えてください。

吉村：ジェトロは国内外のネットワークを活用し、日本と海外のビジネスを促進するために、海外情報の収集・提供や商談会や展示会等の各種事業を実施しております。主要な活動の柱の一つとして中小・中堅企業の海外ビジネス支援を行っておりますが、市場開拓・展示事業部はこの分野において重要な役割を担っております。様々な支援ツールがある中で海外展示会の出展は、前身の日本貿易振興会時代の60年前から取り組んでおり、現在も機構の中心事業の一つとなっています。

清永：海外展示会出展についてはどのようなサービスを提供されているのですか？

吉村：支援先の企業の規模や出展する展示会によっても異なりますが、出展料の一部や各社のブースの基礎装飾や基本備品をジェトロが負担します。例えば、中小企業には一般の出展料の２分の１をジェトロが負担し、企業の方の費用負担を軽減するということです。無料ですと気軽に挑戦できるとは思うのですが、事前準備や当日、フォローなどにはリソースが必要になりますので、その覚悟というか本気になって取り組んでもらいたいこともあり、ある程度負担していただいています。

清永：海外の展示会は出展料も高いですし、実は展示装飾の費用もずいぶんしますから助かりますね。

吉村：また、展示会によっては多くの出展企業をとりまとめてジェトロ・パビリオンをつくるケースがありますが、日本ブースとしてまとまって出展することは、高品質な日本製品というブランドイメージを活用できます。また、出展する一企業だけでは影響力がなくてもＪＥＴＲＯが間に入ることで主催者と交渉しやすくなります。

清永：合同ブースで多くの出展者が連携し、バイヤーに一丸となって訴求することで訴求効果も生み出せそうですね。

吉村：出展企業や自治体どうしで競合してしまうとの懸念もありますが、同じ製品カテゴリーをまとめてブース内でコラボ的な展示をするとバイヤー目線では良い展示になると思っています。そのあたりは今後の課題ですね。

清永：日本ブース全体で売上が上がれば、個社の売上もあがるという全体最適なマインドセットが必要かもしれませんね。

吉村：成功体験があれば変われると思います。そういう経験ができる環境を整えたいですね。また、出展者の課題のなかに英語の問題もあります。英語での出展申し込み手続きや申請のお手伝いもしています。

清永：出展申込や事前準備、各種手続きはなかなか大変で、手間もノウハウも必要で、それだけで担当者は忙殺されてしまいます。海外出展だと業務負担がさらに高まりますから、そこをサポートしてくれるというのは、出展費用の補助以上にありがたいことかもしれませんね。

吉村：展示会の内容によっては産業分野ごとの専門家によるアドバイスやハンズオン支援、アテンド要員や通訳もサポートするケースもあります。また、知的財産の保護対策を講じてなかったために海外出展をしたことで模倣品をつくられるリスクもありますので、イノベーション・知的財産部が外国出願費用の一部負担等、特許、実用新案、商業などの取得のお手伝いをしています。

清永：出展する企業のゴールは展示会場に自社製品を並べることではなく、販路開拓や売上をつくることがですから、そこまで付き添って支えて続けてくれるのは、出展社にとって心強い存在だと思います。

■テクノロジーの波が展示会場にも押し寄せている

吉村：中国では最近は、中国版ＬＩＮＥとも言われているＷｅＣｈａｔ（微信）を展示会の名刺交換代わりに商談で使うことが増えています。

清永：中国に限らず展示会で成果を出すためには、展示会だけでなく、テクノロジーを活用したオンラインでの訴求や商取引など、全体を設計することが必要ですね。

吉村：中国の化粧品の展示会で自撮りをしている女性が多いなと思ったら、みんなインフルエンサーさんでした。中国では化粧品等各分野で影響力のあるインフルエンサーを利用した販売促進が浸透していることから、出展企業が有名な方にブースに来てほしくてやっきになっていました。

清永：リアルとバーチャルどっちが良い？ということでなく役割が別なので、ケースバイケースで適した方を使うべきですよね。

吉村：オンラインツールは手軽にコミュニケーションができて便利なのですが、ハンドリングネームのみしか記載されていないのでどこ

の会社の人かわからなかったり、といったリスクもあります。企業名がわかるための仕組みをつくったり、リスクを回避する使用方法をアドバイスしたりということにも取り組んでいきたいですね。

清永：そうした情報収集やノウハウの蓄積は一企業ではむずかしいのでジェトロさんに期待しています。

吉村：期待に応えるようがんばります。
海外の展示会主催者が展示会期中のリアルの出展の場だけでなく、ＷＥＢを活用し、年間を通じてフォローする場をつくっているケースもあります。ジェトロが長年出展支援を行っている「メゾン＆オブジェ」もそのような取り組みを始めた海外展示会の一つですが、このようにＷＥＢを活用することでさらに出展者のビジネスチャンスを拡大できないかについて検討しています。

清永：５Ｇの導入によって、ＡＲやＶＲが入ってきて展示会場の様相が一変することになるでしょうね。

吉村：テクノロジーによる展示会手法の変化を常にウオッチし時代に取り残されないように知識と経験を常に更新していますが、時代が変化しても商品を手に取ることでしか伝わらない手触りや質感、その人が信頼できる人かどうか直接会って確認する、といったリアルな場としての展示会の役割は変わらないと思っています。

清永：流通業界では、実店舗対ＥＣサイトで競争しつつ協業もしていますが、展示会でも同じことが起きています。どれだけ多くの来場者を集客するか？　という技術には、オンラインでも展示会でも使える共通のスキルやノウハウがあります。本質は同じなので、ＥＣで得た手法は展示会でも大いに活かせるでしょうし、展示会で開発した手法がECにフィードバックされていくことにもなると思います。

■海外市場で成功する出展企業の条件

清永：ジェトロが支援している企業はどれくらいの規模の会社が多いですか？皆さん海外出展ははじめてなのでしょうか？

吉村：2〜3人でやっている小さな企業から中堅企業まで様々で、海外出展の経験の有無もいろいろですね。慣れている企業では、ジェトロのサービスメニューから必要なものだけ取捨選択して取り入れるところもあります。一方で日本の展示会も出たことがないという企業もいらっしゃいます。

清永：出展内容についてもアドバイスをされるのですか？

吉村：予定している出品物が展示会に来るバイヤーのニーズにマッチしていない場合もあります。そういう場合には、別の製品やサービスを出展するように提案することもあります。

清永：1ブース、1アイテム、1ターゲット、という原則を私は提唱しています。あれもこれもでは、顧客にアピールするのはむずかしいですもんね。

吉村：確かに展示会を訪れるバイヤーさんは忙しいので、いろいろ興味ない商品について長々と説明されるよりも、ある程度商品を搾りこんで説明する方が良いということでしょうか。

清永：はい！　おっしゃる通りです。ただ1アイテムというのは商品1つでなく、商品と商品を組合せてソリューションとして提案し

た方がいい場合もあります

吉村：バイヤーの視点に立つと、1アイテムの単位で説明する方が効果的ということなんですね。

清永：はい。どういうバイヤーをターゲットにするのか。それにあわせて出展する製品・サービスを決める時に、「自社の強みが何なのか」を明確にすることが大切です。しかし自社の強みを把握するのは意外とむずかしいのです。多くの中小・中堅企業では、大手顧客の要望に応えることで製品の品質と技術力が向上しています。しかし、その技術がどう使われているか、どの点が評価されているか、ということまできちんと把握している会社はそれほど多くありません。そうなるとほとんどの企業が自社の品質の良さや技術力を中心に訴求することになります。しかし、それが来場するバイヤーに響くかどうかは、また別の問題です。

吉村：技術力に自信がある会社はとくにそういう傾向があるかもしれません。品質重視の日本国内の既存ビジネスと異なり、海外市場では品質やスペックをある程度下げてもいいので、価格を抑えるとか納期を短く、という依頼もよくありますね。

清永：製品を買って使うのはバイヤーなのですから、バイヤーのニーズに合わせた商材を選び、バイヤー視点でメリットを訴求しなければいけません。逆に言えばそれさえできれば、勝ちゲームなのですが、自社の強みを客観的にとらえるのはむずかしいですね。

吉村：日本製品に品質の高さを求める欧米のバイヤーには、その製品の裏側にあるストーリーを求めることが多いです。製造における品質へのこだわりとか、製品開発にこめた想いであるとか、作った人の顔が見えるというか。

清永：担当者の方にヒアリングをすると、良いストーリーをお持ちなのですが、なかなか自分からは話してくれない。日本人のシャイさもあると思うのですが、気づいていないのですよね。

吉村：そういうところ見つけて教えてあげるのが、周りにいる私たちの役割なのかなと思います。

清永：素晴らしいポイントをこちらから指摘しても、「それくらい普通ですよ」とおっしゃいます。すごくもったいない。自社としては普通かもしれませんが、バイヤーさんにとっては特別なことになり得るのです。

■展示会出展を機会に戦略構築と見直しを

清永：展示会は自社のよさを広く伝える場ですが、その前に自社のよさとはなんなのか、という再発見と社内共有が必要です。「自分たちってすごいんだ」という自信とその強みに対する共通認識をもってもらいたいですね。

吉村：海外で自分の製品のニーズがあるのだとの自信を持つことが、さらにビジネスを拡大する上でいろんな面でプラスに作用しますよね。出展目的としても、売上・販売促進、認知度向上以外に、自信の根拠となる高評価のポイントなど、なるべく多くのバイヤー側の声を展示会場で集めることが大切ですね。

清永：社内のコンセンサスも重要ですね。

吉村：展示会出展の目的等については、経営者、関係する部門および担当者が温度感も含めて意識して社内共有して欲しいですね。展示会はある程度継続して出展することで成果が出ますので、長期的な視点に立った戦略が必要になります。これまでも支援を申し出た担当者が異動になったことで、他の誰も引き継がずに出展自体が取りやめになった例もありましたが、ある程度成果が出始めた企業でしたので非常に残念でした。

清永：私の本を読んでくれた担当者が、いろいろと実践しようと試みたのですが、社内でのコンセンサスが取れずに、自分１人だけでがんばってもうまく行かなかったという悩みを聞くこともあります。そのような状況を防ぐため、企業の展示会支援の最初の打合せには、社長や営業担当の方はもちろん、製造、設計、総務の方とかも展示会営業プロジェクトチームに入っていただき、根本的な方針をみんなで考えてもらいます。企業戦略を考え共有することは、社長の考えがみんなに伝わったり、社員の意見が社長に届いたりするすばらしい機会です。こうしたことは、本来、展示会に出ようが出まいが、常に考えるべきなのですが、日々の多忙な業務のなかで、できていない企業も多いのが現状です。その点、展示会は会期という締切日が決まっているので、考えるいい機会になります。

吉村：各部署で考え方が合わないこともありますが、社をあげて取組むというのは大事ですよね。本来誰か１人が担当で進めるべきものでなく、部門横断で取組むことが成果を上がるためには重要だと思います。

清永：展示会にはそういった社内向けの効果も実は大きいです。企戦略を構築し、展示会で検証するというサイクルを回す。展示会出展は会社を変える取組みでもあるのです。

吉村：そういうしっかりしたコンセプトをもち、戦略をたてた企業は、あとは経験を積みさえすればたいがいの壁を乗り越えられます。海外進出や展示会出展でジェトロはさまざまなサポートができますが、戦略とコンセプトは企業自身で考えなければなりません。

清永：国内出展で自分たちの強みをわかって戦略をたて、その後に海外に出て市場や商慣習の違いなどに応じてアジャストしていくのが、勝ちパターンのひとつかもしれませんね。

出展社と主催者の成長で展示会品質の向上を
：TSO International株式会社

展示会出展の成果を左右する最初の選択肢は、“どの展示会を選ぶか”です。あなたの製品やサービスがいかに素晴らしいもので、それを魅力的に紹介・説明したとしても、相手が買う可能性のある見込み顧客でなければ、意味がありませんよね。第2章でもお伝えした通り、あなたの商材が、出展する展示会の来場者層に合っているかどうかを見極めることが非常に重要なのです。
その展示会にどのような来場者を集客するのかということをはじめ、展示会全体の企画・運営を行っているのが、展示会主催者です。展示会主催者がどのようなことを考え、何をしているのか？を知ることは、展示会で成果を出すためのもっとも重要な要素のひとつです。今回は東京、大阪、タイ・バンコクで開催するスポーツと健康産業の展示会スポルテックやエンディング産業展をはじめ、さまざまな特徴的な展示会を主催・企画・運営をしているTSO International株式会社代表取締役の佐々木剛さんと対談をしました。

【TSO International株式会社】

2011年4月設立。外食産業とスポーツ産業、レジャー・セレモニー産業を軸に数々の展示会を起ち上げ、主催・共催・企画・運営を手がける。2019年には22本の展示会を開催、出展社数2650社、出展規模は2850小間以上となる。展示会を「新しい産業やビジネスを創出する経済成長のためのリアルメディア」と捉え、各産業会の団体・企業とWin-Winの連携を行い、産業発展と経済振興、働く人のQOL（Quality of Life）向上へ貢献している。代表の佐々木剛氏は、テクノロジーの導入や働き方改革など日本の展示会産業の課題解決について常に提言を投げかけている、展示会業界の若手リーダーのひとりだ。

■出展社の成長が展示会を育てる

清永：本日（インタビュー収録日の２０２０年１月22日）は、TSO Internationalさんと私でセミナー「２０２０年新春特別セミナー」を共催させていただいておりまして、その終了後に代表取締役の佐々木剛さんにお越しいただきました。お疲れさまです。

佐々木：ご講演ありがとうございます。今回のセミナーでは、弊社の展示会に出展予定、検討の方が多かったのですが、すぐに役立つメソッドが多くて、参加者の満足度も高かったようです。

※筆者のセミナー内容は、https://tenjikaieigyo.com/seminart/ より動画をご覧ください。

清永：ありがとうございます。お褒めいただいたお返しというわけではないのですが、スポルテックをはじめ御社の展示会はどれも成長著しく、開催件数も増えていてそれぞれの展示会の出展社数が堅調に伸びていますね。

佐々木：私どもは、各産業会の団体や企業と手を取り合って、各社の売上向上と産業の振興へ注力しており、それが評価されたものだと思っています。しかし、まだまだ改善の余地があり十分ではありません。

清永：出展企業の伸びは素晴らしいものだと思いますが・・・。

佐々木：出展社数の６～７割がリピート出展の企業（既存顧客）です。それ以外が新規の出展でそこが伸びているため、出展企業の総数は増えています。しかし新しく出展した企業が、次年度に継続出展する割合がおよそ50%で、そこはもっと伸ばせると考えています。

清永：1年目の出展というのは、外部の専門家に頼らず自社だけで準備を進めてしまった場合、成果が上がらないことが多くて、次の年はやめてしまうというのは、どの展示会でも多いですね。

佐々木：出展した製品やサービスと来場者のミスマッチ、魅力ある商談機会が提供できていないとしたら、私どもの力不足です。それもあるとは思うのですが、既存の出展企業の皆さんは成果を上げておられます。そのちがいは出展社が上手に展示会を活用できているかどうか、ということではないかと考えています。

清永：私の目からみると改善点しか見えないくらいです。おかげで弊社のコンサルティングを受けたいという企業が増えているのですが・・・。

佐々木：日本の企業で、ＫＧＩ（重要目標達成指標）やＫＰＩ（重要業績評価指標）を設定し、スケジュールをたててタスクフォースに落とし込んで、展示会に出展しているところがどれくらいあるのか。おそらく1%とかのレベルじゃないでしょうか

清永：少ないでしょうね。

佐々木：ですからセミナーなどで清永さんがお話してくれる出展効果をあげるノウハウはすべての出展企業に身に付けてほしい。多くの企業に清永さんのコンサルティングを受けて欲しいな、と。

清永：ありがとうございます（笑）

佐々木：楽天市場の出展企業にＥＣサイトのノウハウを提供する楽天大学のようなイメージでしょうか。出展社のクオリティ向上が、マーケット全体の向上になるのは展示会も同じ。いい出展社がいい展示会つくってくれるのです。ですから、出展ノウハウの講義は必修にして、受講しないと出展できないようにするくらいのことをやった方がよいのかもしれません。

■展示会産業のプロフェッショナル人材の育成

清永：海外に目を向けると、たとえば、ドイツは人口約８３００万人、経済規模でもＧＤＰ4位と日本を下回っていますが、東京ビッグサイトの4～5倍の規模（約50万㎡）の展示会場ハノーバー国際見本市会場をもつなど展示会を国の基幹産業として位置づけています。アメリカや中国の展示会産業が大きいのはわかりますが、ドイツのほかフランスやイギリスなど欧州の展示会産業が大きいのは意外な感じがしますね。

佐々木：欧州展示会は開催各国だけでなくＥＵ全体からバイヤーが集まってくるということといった歴史的な経済環境は大きいのですが、展示会産業というもののステータスが高いことも重要だと思います。

清永：欧州では自治体が展示会の会場会社や主催企業に投資したり運営に関わっていることも多く、自国の経済振興のインフラという認識が高いですね。

佐々木：一方、日本は経済規模と比較して展示会産業は規模も小さく、注目度も低いです。政治・行政に施設への投資や主催企業の支援を促すのも必要かもしれませんが、私は人材育成も大きな課題だと考えています。

清永：展示会業界で働く人の育成ということですね。

佐々木：子供が将来なりたい職業ランキングに、展示会プロデューサーが入ってほしい。

清永：いいですねぇ！　あっておかしくないですよね。

佐々木：映画監督とか音楽プロデューサーにはみんななりたがるんです。でも展示会のことはみんななんとなく知っているけど、その展示会を誰が企画・運営しているかを知らないという現実があります。

清永：1人傑出した人をつくりだすことも大切ですが、全体として職業としての認識を高めるということも重要ですね。

佐々木：そうですね。さきほど出展社がもっと展示会を上手に活用してほしいと言いましたが、それ以上に重要なのが展示会のプロフェッショナル人材育成ですよね。弊社は業界のなかでも人材については採用・育成ともに力を入れていて、トップの私が陣頭指揮をとりますし、予算も多く使っています。

清永：まずは優秀な人材を採用しないといけませんしね。

佐々木：展示会業界の方々は、いい人材が採れないって言っていますが、年収が安く採用戦略も練らずでは、無理に決まっています。

清永：御社は新しいスタッフの方も入っていらっしゃるようですし、皆さんいきいきと働いてらっしゃいますもんね。

佐々木：展示会産業は、労働集約型で人が財産ですから、もっとも大切なのは人材です。採用の次には育成も必要。しかし、展示会主催者というのは、弊社も含めて社員数が多い業態ではないので、1社で教育プログラムを組むのはむずかしいのです。

清永：業界の人材を育成する横断的なプログラムがあればいいですね。

佐々木：そこでは、清永さんに出展企業さんの成果をあげるための研修プログラムをしていただいたり、展示会業界のOBに運営や企画の話しをしてもらったり、経営や経済など業界外からの講師も招聘したりと、お話しする中で、色々なアイデアが浮かんできました。

清永：いいですねぇ。よろこんでご協力しますよ。

佐々木：教育と関連して資格認証も欲しいですよね。

清永：展示会そのものの認証としては、日本展示会認証協議会が実施していますが、展示会業界に特化した個人の資格はないようですね。

佐々木：展示会の運営やプロデュースのスキルの見える化をしづらいので、社内外の評価や人の流動化がむずかしいですね。なにより働く人がきちんと評価され、給与や待遇が改善されて欲しいですね。関係者がいきいき働いていない展示会なんてすぐにダメになってしまいますよ。

■展示会は三方良しで儲かり体質が増幅する！

佐々木：ほとんどの出展企業が効果的な出展ノウハウを持っていない状況で、清永さんが啓蒙していただければ、出展社は売上が上がるので儲かります。その話を聞いた他の企業が次々と出展すれば、弊社のような展示会主催者も儲かります。展示会で出展している製品やソリューションは、企業の課題を解決するためのものなので、それらを導入した来場者も儲かるという三方良しですね。

清永：成功した出展企業の噂を聞いて、多くの企業が私のコンサルティングを受けてくれるので弊社も儲かり、その結果、さらに出展企業が増加し、展示会主催者も一層儲かります。出展企業さんの商材を導入した来場者さんももちろんさらに儲かります！　三方よしの儲かり体質が増幅していきますね！　Ｗｉｎ－Ｗｉｎとよく言われますが、１つの製品をつくるのに多くの企業が関わる傾向は、今後のＩｏＴ化によってますます強まるでしょうから、みんながハッピーになる方法を考えたいですね。その方法は、やはり展示会出展社さんの成果をあげることだと強く思います！

とくに、本書にも詳しく書きましたが、出展企業の方にとって、展示会出展のために、長期的なビジョンを描いたり、自社の強みや顧客、競合を考慮しながら出展コンセプトを練り上げたりすることは、会社の方向性を考えるよい機会になると思います。売上アップ以外にもさまざまな大きな成果が上がります。展示会は会社を儲かり体質に変え、そしてそれを増幅させる取り組みなのです。

終章

ムダな営業をしないことが会社にもたらす13個の幸せ

「がんばっている中小企業は、もっともっと、世の中から評価されていい」

わたしは、展示会営業®コンサルティング研修をする中で、中小企業の皆さんの純粋さ、実直さ、素朴さ、まじめさ、一生懸命さに日々触れています。だから、強くこう思います。

ところが、世の中は多くの場合、そうはなっていません。

わたしのコンサルティング先の多くが中小企業だと知ると、

「中小企業は大変ですよね」

「中小企業の営業はペコペコしないといけないんでしょ」

「中小企業の仕事はきついよね」などと言ってくる人がいます。

中小企業の実情を知らない人が、わけもわからずイメージだけでこのように言うのはまだ仕方がないかなと思えます。

でも、実際に中小企業に勤めている社員さんや中小企業を経営している社長さんまでもが、自分自身のことを

「どうせ、自分たちは中小企業だから・・・」

と自嘲気味におっしゃるのを聞くと、とても悲しくなってしまいます。

わたしは、声を大にして言いたいのです。

「断じてそんなことはない！　中小企業はすばらしい！」

では、なぜ、世の中に「中小企業はきついし大変だ」というイメージがこんなにも定着してしまっているのでしょうか？　それは、きっと、多くの中小企業が、がんばりすぎているからなのだと思うのです。

大口顧客に御用聞き営業を精力的に行いすぎて無理難題を押し付けられたり、見込みの薄い新規顧客をなんとか攻略しようと営業訪問を繰り返した結果ひどく邪険に扱われたり・・・。

よかれと思ってがんばっていることがマイナスを生んでいるとしたら、こんなに悲しいことはありませんね。

だから、わたしは、本書の冒頭で、あえて、こう言いました。

「営業は年1回以上するな！」

本書をここまでお読みになった方はもうお気づきですね。

本当はこう言いたかったのです。

「営業は、年1回の展示会出展に集約しましょう！」

わたしは、日々、がんばっておられるあなたにどうしても本書の内容をお伝えしたかったのです。だから、あえて、誤解されるような刺激的な言葉を冒頭で使ってしまいました。

第3章でお伝えした「キャッチコピーにはとにかくインパクトが重要」というノウハウを著者自らが実践したのだと思って、寛大なお心でご容赦いただけるとうれしく思います。

どうせ、がんばるのなら成果の出る方法でがんばるべきです。大企業ならまだしも、資金力にも人手にも限りがある中小企業は、極力、ムダな営業活動を排除して、そのリソースを年1回の展示会出展に集中投下してほしいと思います。

営業活動を展示会出展に集約し、展示会営業®術に則って取り組むことで、株式会社名井内《ないいない》の復活劇で見たような奇跡があなたの会社で起こり始めます。

展示会営業®術が中小企業にもたらす奇跡は、ザっと挙げるだけでも13個にも及びます。

1. 売上・利益が大幅に増加する
2. 社長や社員さんが自社の明るい未来を想像しワクワクするようになる
3. 社内の一体感が醸成され、セクショナリズムを打破できる
4. 顧客目線の思考力が強化される
5. 社員さんのセルフイメージが高まる
6. 社内に埋もれたノウハウやナレッジが流通し始める
7. 仕事を楽しみ自ら動く人材を育成できる
8. 顧客の生の反応を商品開発にフィードバックできる
9. 仕入れ先や提携先候補を見つけ出すことができる
10. 優秀な人の採用・定着が可能になる

11．望まれて訪問することが当たり前になり自信が増大する
12．お願い営業・御用聞き営業から問題解決型営業に変革し、教える人になる
13．情報への感度が高くなり情報収集力が高まる

中小企業が資金や人手の不足を乗り越えて、儲かり体質になるためには、実にさまざまな要素を複合的に変革していくことが必要です。ザっと挙げるだけでも、

・求心力のある未来ビジョンの構築
・顧客に対する自社の価値の深掘り
・競争力のある新商品開発プロセスの構築

といった、企業戦略に関わることから、

・御用聞き型から問題解決型に営業スタイルを変革すること
・社員のスキルとモラールの向上
・自社に合う人材の採用と定着

などの、人材に関連すること、

さらには、

・営業部門、製造部門、仕入れ部門、総務部門などの部門間の壁の克服
・自ら動く人材を育成する評価体系

などの組織や制度に関わることまで多岐にわたります。

しかも、これらの要素は相互に絡み合っているため、一つひとつの要素に個別に取り組んでもなかなか成果はでません。要素と要素の相互作用を考慮しながらタイミングを計りつつ一気に変革していくことが必要なのです。

でも、これがとてもむずかしいのです。大企業なら、通常業務とは別に社員にその意義ややり方を研修形式で伝えながら変革を進めていくことも可能でしょう。しかし、中小企業には時間的にも人員的にもそんな余裕はありません。だから、中小企業が儲かり体質になることは、非常に難易度が高いのです。

では、どうすればいいのでしょうか？

その答えのひとつが、展示会です。展示会に年1回出展すると決めて、実際の業務の一環として、本書でお伝えした展示会営業®術を進めていくことで、無理なく自然にこれらの要素をクリアし、儲かり体質に変わることができるのです。

あなたも、**ぜひ、年1回、展示会に出展してほしい**と強く思います。

もちろん、絶対に年1回以上、展示会出展をしてはいけないわけではありません。

展示会営業®術が社内に浸透した後には、年1回と言わず、2回、3回、4回と展示

年1回の展示会出展で儲かり体質になる

会出展回数を増やしていくとよいでしょう。そうすることによって、展示会営業®術がもたらす13個の奇跡もさらに増幅していきます。

わたしは、展示会営業®コンサルタントとして活動する中で、このような**奇跡を起こして儲かり体質に変わっていく中小企業を何社もこの目で見てきました。**あなたにもぜひ実践してほしいと強く思います。

だから、誤解を恐れずにもう一度言います。

「営業は年1回以上するな!」

あなたの会社が展示会営業®術を活用して儲かり体質になり、大きく飛躍されることを心から応援しています!

おわりに

本書は、わたしにとって**展示会をテーマにした通算４冊目の書籍です。**

２０１７年５月に『飛び込みなしで新規顧客がドンドン押し寄せる展示会営業術』（ごま書房新社）を上梓して以来、**毎年一冊のペースで出版してきましたが、文字通り、最高傑作になった**と自負しています。


「清永さん！『展示会』という狭いテーマでよくそんなに何冊も本を書けますね！」

と言われることがあります。

でも、わたしからすると、**日々クライアント企業さんの展示会出展をご支援する現場で生み出される膨大な量のノウハウを、読者の皆様にいち早くお伝えしたい、**という気持ちでいるだけなのです。そして、ふと気づいたら毎年一冊というハイペースで出版していました。

おかげさまで、これらの本は、**これまで体系的に語られることがなかった企業の展示会出展の成功法則を明らかにする日本初のノウハウ書**として、中小企業の経営者さんをはじめ、多くの方にお読みいただきました。

リアル書店やＡｍａｚｏｎなどのＷＥＢ書店でも好評となり、うれしいことに売行き1位を何度も獲得しました。


だからでしょうか、それ以降、**奇跡が起き続けています。**

中小企業のしがないわたしが、テレビ、ラジオ、新聞、雑誌、ＷＥＢニュースなどさまざまなメディアから呼んでいただけるようになったのです。それも一度や二度ではありません。メディア出演の機会が飛躍的に増えたのです。そんな世界に縁などないと思っていましたので、本当に驚きました。


また、セミナーや講演講師の依頼が増加し、全国からわたしの展示会営業®術を学びたいという企業や団体からのオファーが続々と届くようになりました。このノウハウをお伝えできるのがうれしくて寝る間も惜しんで新幹線や飛行機に飛び乗る毎日です。

そんなことが続くと、不思議な現象が起こります。それは、**営業なしで、これまで以上に多くの企業とのビジネスのご縁が生まれるようになった**、ということです。ご縁をいただいた企業様には感謝してもしきれません。

なぜ、わたしは、このようなありがたい状況になったのでしょうか？　すぐに原因

▼テレビに出演

▼ラジオにレギュラー出演

▼新聞に取材記事掲載

▼著書がテレビの
ビジネス書ランキング２位に

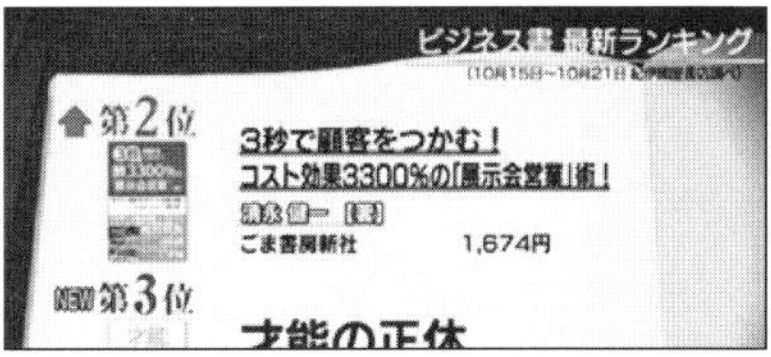

▼スマートニュースに

▼ニュースピックスに取り上げられる

を考えてしまうのはコンサルタントの職業病です（笑）

それは、**わたしがコンサルティングテーマを『展示会』に絞り込んで取り組んだから**だと思うのです。もしも、わたしが展示会営業コンサルタントでなく、ただの営業コンサルタントだったらどうでしょうか？

世の中には、ただのドブ板営業マンだったわたしなんかより、華やかな経歴で立派な実績の営業コンサルタントさんがたくさんおられます。

しかし、**『展示会』という領域に絞ったコンサルタントは世の中にわたししか存在しない**のです。だから、ありがたいことに、わたしから営業せずに、さまざまな企業や団体からお声をかけていただけるのです。

実は**これは、あなたの会社でもできること**なのです。「あれもできます！」「これもやります！」と言うのではなく、本書でお伝えした手順で、ターゲットや出展商材を絞り込み、自社をわかりやすく尖らせて、伝わりやすくして、展示会に出展しましょう。

その結果、あなたの会社の存在感を数段に高めることができるのです。

展示会は、ある意味、テレビ、ラジオ、新聞、雑誌などと同じメディアです。展示会というメディアであなたの会社を、わかりやすく露出することによって、あなたの会社の**サービスや商品をほしいと思う企業が必ず増えます。**

展示会営業®術を毎年続けていくことで、ムダな営業なしで、最低限の経費で優良顧客から「買わせてください」とお願いされるようになっていきます。

そんな風にあなたの会社が「儲かり体質」になっていくことを心から応援しています。

最後に、本書の出版にあたりましては、本当に多くの方々のご協力をいただきました。この場を借りて御礼申し上げます。

株式会社ＮＩコンサルティングの長尾一洋社長には、たくさんのことを教えていただきました。時が経つにつれ、教えていただいたことの確かさが身に染みてわかるようになってきました。本当にありがとうございます。

展示会に自ら出展し、最高の成功事例を体現してくれた、株式会社アームズ・エディションの菅谷信一社長にはいつも勇気をいただきます。心から感謝しています。

株式会社エクスウィルパートナーズ・志師塾の五十嵐和也社長、インタメクラブ主宰・株式会社インタメプロダクションの渋谷文武社長、株式会社ＭＩＣＥ研究所の田中力社長ほか、たくさんの方には日頃よりお世話になり深く感謝しています。

中小企業診断士仲間でカメラマンのフォト。パートナーズ株式会社の石田紀彦社長には、過密日程の中、最高の写真を撮っていただきました。心から感謝しています。

また、本書への実名掲載を快諾いただいた株式会社井上ボーリング様、エス・ユニット株式会社様、株式会社オーアンドケー様、株式会社オリオン工具製作所様、株式会社テレコム様、株式会社トラスト様、本当にありがとうございます。

そして、ご多用にも関わらず取材に対応していただいた日本貿易振興機構（ＪＥＴＲＯ）市場開拓・展示事業部長の吉村佐和子様、TSO International 株式会社 代表取締役の佐々木剛様、心から感謝申し上げます。

そして、いつも新しい視点でわたしを導いてくださる版元のごま書房新社編集部の大熊賢太郎さん、本当にありがとうございます。

他にもここには書き切れませんが、展示会営業®術を一緒に進化させていってくださるクライアント企業の皆様やビジネスパートナーの方々、わたしを応援してくれる仲間、あたたかく見守ってくれる両親、いつもわたしを支えてくれる妻、そして何より今この本を手にとってくださっている皆様に、心から感謝を捧げます。

繰り返しになってしまいますが、わたしは、**「中小企業はもっともっと評価されてい**

い」と心から思っています。そして、**展示会は、中小企業が想いや志を世の中に堂々と発信するための最高の場だ、と信じています。**

あなたの会社のさらなる発展を心から応援しています。

２０２０年２月　東京ビッグサイト青海展示棟の飲食スペースにて

株式会社展示会営業マーケティング 代表取締役　清永 健一

◆参考文献

「２０２０年度版展示会データベース」（株式会社ピーオーピー）

「マネジメント［エッセンシャル版］－基本と原則」ピーター・F・ドラッカー（著）、上田惇生（翻訳）ダイヤモンド社

「激動社会の中の自己効力」アルバート・バンデューラ（編集）本明寛、春木豊、野口京子、山本多喜司（訳）金子書房

「新版 図解・問題解決入門―問題の見つけ方と手の打ち方」佐藤允一

「戦略の見える化」長尾一洋（著）アスコム

「営業の見える化」長尾一洋（著）KADOKAWA／中経出版

「仕事のゲーム化でやる気モードに変える」長尾一洋・清永健一（著）実務教育出版

「営業のゲーム化で業績を上げる」長尾一洋・清永健一（著）実務教育出版

『最新版 飛び込みなしで「新規顧客」がドンドン押し寄せる「展示会営業®」術』清永健一（著）ごま書房新社

『3秒で顧客をつかむ！ コスト効果３３００％の「展示会営業®」術』清永健一（著）ごま書房新社

「「LINE 公式アカウント」 ５G時代の〝神〟営業術」菅谷信一（著）ごま書房新社

「YouTube革命者〝異次元〟の稼ぎ方」菅谷信一（著）ごま書房新社

「パブリック・スピーキング 最強の教科書」小山竜央（著）KADOKAWA

「カリスマ講師 ＴＨＥ バイブル」渋谷文武（著）サンクチュアリ出版

「たった90日であなたの先生ビジネスは絶対儲かる」五十嵐和也（著）秀和システム

～本書の読者様限定　無料特典～

著者自身が講師を務める
展示会営業®セミナー無料ご招待
〈先着100名様〉

～展示会出展で成果を上げたい方へ～

著者である清永健一自身が講師を務める展示会を活用して売上を増加させる日本唯一のノウハウをお伝えするセミナーです。

生々しすぎて書籍では書けなかった裏事情なども数多くお伝えします。

東京・新宿で毎月開催しています。ぜひご参加して、セミナーでしかお伝えしていない生ノウハウを手に入れてください。

ahttps://tenjikaieigyo.com/seminart/

から、お申込みください。

※必ず、紹介者欄に、『書籍特典』とご記入ください。
　書籍購入者さま限定特典により、無料ご招待となります。
※先着100名様になり次第無料特典は終了させていただきます。

展示会営業®
売上アップ実践会

出展コストの33倍売る！展示会営業®
https://tenjikaieigyo.com/

展示会営業®
マーケティング

◆プロフィール

著者　清永 健一（きよなが けんいち）

株式会社展示会営業マーケティング代表取締役。展示会営業®コンサルタント、中小企業診断士。奈良生まれ、東京在住。神戸大学経営学部卒業後、リクルート映像、メガバンク系コンサルティング会社など複数の企業で手腕を発揮し、2015年に独立起業、（株）展示会営業マーケティングを創業する。「展示会に出展する企業に出展コストの33倍売るノウハウ伝える日本唯一の展示会営業®コンサルタント」として活躍中。展示会を題材にした企画のテレビ番組、ラジオ、新聞、雑誌、著書でのコメント等、業界随一の手腕としてメディアからも注目。

これまでの中小企業への売上サポート実績は1195社を超える。また、先生業の顧客獲得で1400件の実績を有する志師塾の統括講師も務めている。

著書に『最新版 飛び込みなしで「新規顧客」がドンドン押し寄せる「展示会営業®」術』『3秒で顧客をつかむ！コスト効果3300％の「展示会営業®」術』（共にごま書房新社）、『営業のゲーム化で業績を上げる』『「仕事のゲーム化」でやる気モードに変える』（共に実務教育出版）ほか、累計6作執筆。

●著者ホームページ（取材・セミナー依頼はこちら）
・株式会社展示会営業マーケティング　https://tenjikaieigyo.com/
・【清永健一】Facebook　https://www.facebook.com/kenichi.kiyonaga
・【清永健一】公式YouTubeチャンネル　http://urx.space/XwyS

展示会のプロが発見！
儲かっている会社は1年に「1回」しか営業しない！

著　者	清永 健一
発行者	池田 雅行
発行所	株式会社 ごま書房新社 〒101-0031 東京都千代田区東神田1-5-5 マルキビル7F TEL 03-3865-8641（代） FAX 03-3865-8643
カバー写真	石田 紀彦
著者近影	タツ・オザワ
カバーデザイン	堀川 もと恵（@magimo創作所）
印刷・製本	倉敷印刷株式会社

ISBN978-4-341-08758-6 C0034